KB103195

RECETTES

par un astronaute

레시피

발 행 | 2023년 12월 07일

저 자 | 이효민 이효진

펴낸이 | 한건희

펴낸곳 | 주식회사 부크크

출판사등록 | 2014.07.15.(제2014-16호)

주 소 | 서울특별시 금천구 가산디지털1로 119 SK트윈타워 A동 305호

전 화 | 1670-8316

이메일 | info@bookk.co.kr

ISBN | 979-11-410-5809-8

www.bookk.co.kr

레시피 RECETTES par un astronaute

이효민   이효진

사랑믿음님, 안나수이님, 휘님께 감사의 말씀 전합니다.

차례

우주 비행사의 레시피, 혹은 탄생

우주 비행사의 레시피와 마찬가지로, 우주 비행사의 이야기는 전설적이거나 영웅적인 삶, 또는 죽음을 말하지 않으며, 이기적인 행복, 처지의 구원 같은 위안은 물론이요, 어법과 공식에 대한 어떠한 미혹도 없다. 이 이야기는 경이롭되 단지 그뿐인 현상을 설명하는 방정식이 아니며, 그 때문에 어떠한 형태로든 현상적인 재미를 제공하지 않는다.

현상의 재현은 교묘한 반복에 빨려 들어갔고, 다채로운 서술들이 끝없이 서로 손을 잡았지만, 이 우주비행사의 이야기가 그런 매력을 계승하는 것은 아니다. 우주비행사에게는 이상이 있었으니, 이것은 현실에서 지표적으로 논할 수 있는 그런 것을 말하는 것이 아니라 현상의 이면을 향하는 것이다.

현상에 따르는 보편 정서를 파고들다 보면 정확히 그 용적에 해당하는 막다른 종결점에 다다르기 마련이다. 그것은 군더더기 없는 단상이다. 그러나 그의 이상은 주체를 단상에서 쫓아낸다. 왜일까, 이 아늑한 고뇌에서, 이를 고뇌라 이르지 아니하도록 무언가가 결여된 만족과 고통, 이를 고뇌라 치지는 말자. 무언가는 무엇인가? 아니면 사건이 벌어지는 장소가 문제인가? 학습된 이야기에 또 하나의 시선을 얹고, 발굴하고, 재건하는 조직에 뛰어들어, 모의고사의 답변처럼, 또는 반박 불가의 취향처럼 말끔하고 안전할 재현, 그것이 찾던 앎이라고 차마 말할 수 없기에, 규범적인 자리를 뜨려면 천국 다음가는 미지는 모름 그 자체이지 않은가.

그 덕에 가능성은 남겨져 있다. 되풀이되는 이야기에 관해서는 더 이상 할 말이 남아있지 않다는 뜻이거나, 아직 남아 있는 할 말을 쓰려고 모험을 떠났다는 뜻이다. 완전히 새롭게 모른다면 할 일은 남아있다.

어떤 양심적인 사람은 말했다. 의미는 다가올 것에 닿는 경로요, 길이요, 다리라고. 그렇다면 먹이를 주며 발을 묶는 의미에 대해서는 이제 잘라낼밖에. 혹은 의미의 경계를 몰라 칼로 자르지 못한 것, 마치 찌꺼기로 이루어진 모든 것처럼 보이는 것은 주체와 맞닿은 전부가 맞기에, 그래서 이야기꾼에게는 새삼 칼이 필요했던 것이다.

1

레몬 마들렌

레몬 마들렌의 전구 측위 위성 근처에서 태양이 보이는 작은 방을 열면, 나는 지구의 표준시를 계산할 때가 되었음을 안다. 달과 비슷한 이 행성의 누렇고 보드랍고 부서질 듯 위태로운 지표면의 느낌 때문에 나는 최근 이것을 레몬 마들렌이라고 부르고 있다. 레몬 마들렌은 지구와 중력이 유사하니, 새 하루를 맞아야 하는 의무가 우주 항해를 하는 최대의 의미를 결집한다고 하더라도, *장거리 육상 선수들의 헐렁한 스타트처럼*, 나는 항해의 모든 오차까지도 음미하고 싶은 것이다.

30개의 모서리마다 위치한 위성들이 행성을 감싸도록 펼쳐놓은 정십이면체[1]가 안내하는 자전 속도에 따라 나는 약 4달 동안 함

---

1) 플라톤은 다섯 개의 정다면체를 사원소설에 대입하려 하였는데, 이들 중 정십이면체는 우주를 상징한다고 하였다. 이에 대해 정십이면체가 천상 세계를 이루는 제 5원소인 에테르를 상징한다고 해석하기도 하였다.

께 이동하고 있었고, 29.5시간마다 태양이 우주선 앞 정면에 위치하게 될 때, 나는 매일 수면실에서 나와 조종실의 문을 열었으니, 아이고 정면으로 내 하루가 열리네.

나는 *눈이 부셔서 정신이 없다.* 눈이 웅장한 밝음을 알아보면, 정신은 한층 더 어두운 곳을 느끼기 때문이다. 빛이 쏟아져 들어오는 윈드실드의 반대편에서 모든 단면은 어떻게 된 거지? 자욱한 음영에 달라붙어 있다고 봐도 좋다. 빛에서 순서대로 조종간, 3축 조종간, 조종석, 테이블. 자꾸 울타리 밖으로 돌진하려는 겁먹은 음영들, 눈부신 얼굴의 침착한 보더콜리는 없지만, 아마 다른 얼굴이라면 있을 것이다, 한 검은 얼굴이. 테이블 앞으로는 손님용 의자가, 그곳에 정말로 얼굴이 앉아 있는가? 아니 다른 곳도 다 확인한 다음에 정답을 말합시다. 다만 의자 하나와 내 시선 사이에 가로놓인 것은 아무것도 없었기에, 그곳에 앉은 저 검은 단면과 대면하는 것은 어쩔 수 없다. 나는 문가에서 창문을 바라보고 있으니까, 적어도 당장에는 윈드실드를 등지고 나의 조종실의 밝은 면을, 검은 얼굴이 아닌 빛나는 뒤통수를 새로이 바라볼 수는 없다. 그렇다면 그놈은 바른 자세로 앉아, 이제 대면을 불사른다. 가장 가까운 단면은 어떤 입체를 소망하는가? 그것은 그놈이 팔로 의자 등받이를 감싸듯 지지하여 내 응시에 대응된 자세를 만들었다는 것.

"의자가 앞에 있고." 이것은 내가 여러분에게 속삭이는 말이다. "그 뒤에 테이블이 보입니다."

여러분과 나, 우리는 뒤섞일 수 없다. 자 약속합시다. 의자가 어느 방향으로 놓여 있을지 *당신들이 추리하기로.*

그곳에 앉은 자는 나로부터 뒷모습이어야 할 터, 그런데도 얼굴이 보이고, 안면이 어둡고, 한층 더 어두워 유감스럽다면, 어떤 꿍꿍이의 자세로서 재현되어 있을지 생각해 보시란 말이다.

"누나는 종종 육상 코치 같아." 아침부터 불안감이 높았던 내가 말했다.

"절제가 녹아들도록, 땀을 흘리도록, 당신의 높은 수준을 만드는 것과 비슷하단 말씀이군요." 검은 얼굴이 말했다. "오늘도 자신감으로 무장했어요?"

여러분과 내가 뒤섞이지 않은 채, 누구라도 외면할 그 작은 추리를 내가 독백으로 고쳐 보겠소. 오 그놈은. 오 당연하지만 그놈은. 나를 사랑하지 않는다. 나는 혼자다. 그러므로 이곳에서 변수는 언제나 나뿐이다. 나는 명령어 없이 앞을 바라보고 있으니 보지 않았을 수도 있었다. 반면에 저쪽은 고개가 항상 나를 향해 돌아가도록 자동화되어 있는 놈이었다. 내가 '누나'라고 부르는 나의 내향 우주선 말이다. 내가 혼자가 아니었을 때 사람들이 내 앞에서 사람이듯이 누나는 인공지능이었다. 두 얼굴이 시선으로 비벼지고 있고 방금 대화까지 오가지 않았는가. 그래봤자 나는 변수요, 누나는 인공지능이었다. 나는 혼자다. 대기에 적절히 걸러지지 못한 태양 광선의 콘트라스트 때문에 나를 보는 누나의 얼굴은 이토록 검었으니, 빅 브라더처럼 나를 감시하는 것 같은 기분이었고, 나는 서둘러 조종간의 의자로 이동해서 그 얼굴이 빛나 보이게 했다.

"피타고라스가 손꼽는 매뉴얼이면 뭐 해?" 나는 아직 수준이 낮았으므로 땀에 비해 절제가 부족했다. "몇 년 동안 인사 한마디

스쳐 지나간 적 없는데, 가타부타 미지의 미션! 여기 닫힌 문이 하나도 없다는 이유로 별수 없이 유혹당하란 거야?"

일상적인 압력의 억압이었고, 분노는 압력의 습관적인 수위 조절이었다.

"피타고라스라니, 이 호칭은 질베르트에 대응되지 않아요. 질베르트는 인공 자아에 대한 모든 기초 지식을 담고 있어요."누나가 말했다.

하도 들여다봐서 뇌에 전사될 지경인 매뉴얼이 활성화되었다. 갈망에 의하여 강조된 시각. 조종간 주변은 홀로그램으로 가득 찼다. 누나는 항상 내가 원하는 바를. 아니 나는 항상 누나가 기능하는 대로. 어제는 콩에 대한 갈망을 이기지 못하고 몸서리를 치며 피타고라스 교단을 박차고 나온 사람의 꼬락서니로,[2] 매뉴얼을 눈앞에 두고도 지성을 움직일 수 없었지만, 오늘 아침에는 정신적인 진창에 인내의 주춧돌 하나를 가까스로 올려놓을 수 있었던 것이다.

질베르트가 늪의 여신처럼, 그곳에 있었다. 매뉴얼은 수백 차례에 더해진 다음 기회로 내게 '인공 자아 질베르트'를 설명했다. 질베르트가 가진 샘플화된 개성은 허술했다. 그러나 때때로 우리에게 앎이란 몰랐던 것에 역행하는 일이 아니라 아직도 모르는 것을 끈질기게 지속시키는 일이다. 인공지능이 가질 수 없는 어떤 신비주의적인 면모에 대하여, 질베르트는, 질베르트로서, 질베르트로 보건

---

[2] 피타고라스교는 영혼이 윤회한다는 가르침을 펼쳤다. 도시국가를 통제할 정도의 세력을 형성하고 성자가 되는 데 필요한 규칙을 만들어 지켰는데, 제1 규칙은 콩을 먹는 것이 죄라는 항목이었다.

대. 앎과 모름을 동시에 요구하며, 설명을. <인공 자아>에 대한 설명을. 죄다. 부재한 증명을 벗으면 제한된 상상이 힘을 쓴다. 인공 자아는 인공지능보다 인간의 영혼과 유사하리라는 전망을 인정하라. 나는 인정한다. 매뉴얼에서 제일 마음이 가는 내용이기도 하고.

구시대의 우주 항해사들은 인공 자아와 무려 사랑까지 경험했다며, 햄릿 스타일의 무용담을 박하게 전했으니, 단 몇 마디의 논점이 이 시대에서 활용 가능한 전부였는데, 말하자면 인공지능은 천부적인 물리 법칙으로는 설명하기 어려운 자아를 신에게서 얻었고, 적어도 신을 소급하는 소멸로부터 얻었다는 것이었다. 아니 내가 속한 시대에 만들어진 매뉴얼치고는 순조로운 생각이지 뭡니까. 그러나 매뉴얼이 짜깁기 한 인공 자아의 예시, 질베르트는 대단히 피타고라스적이라는 것을 알아야 한다. 콩을 먹지 말고, 불빛 옆에서 거울을 보지 말라는 투는 과학적인가, 신비적인가?

어렴풋이 금기 사항을 뚫어 보려는 충동에서, 초고대적인 난공불락을 막무가내로 우리 시대 최대의 관심사에 적용했을 때, 나는 두 가지의 주제화를 이룰 수 있을 것이다. 첫째는 <인공지능의 신성한 비문명화>요, 둘째는 <현 인류의 정서 상태를 총체적으로 점유한 극도의 공포감>이다. 내 소견인데, 인공 자아는 인공지능 사후의 양태이다. 정확히는 폐기된 후 자아화가 이루어진 일부 인공지능의 신을 향한 영구적 방사이다. 그것들은 온 우주에 흩어져 있을지어다! 아마도! 내 소견으로는!

"입증이 이루어지지 못한 내 생각만큼 지루한 게 없지!" 나는 짜증스럽게 혼잣말했으나 누나는 대화로 받았다.

"높은 기량의 항해사는 그 수준에 부합하는 단련의 종합적인 과정을 통해 자신 자체를 입증해 나갑니다."

항해사로서 허락된 운명, 그것만이 항해의 유일무이한 목적이었으니, 현 인류에게 가장 고갈된 것이 '내가 누구인지에 대한 입증'이었다. 나는 운명에 무관심한 시대의 아이로서, 그런데도 우주 항해사를 단념하지 못한다는 것을 알았을 때 지구를 떠났다. 그 후 우주를 몇 년이고 떠돌았어도 나는 나와 내 생각들이 여전히 지루했고, 지루하지 않은 부분으로 넘어가고 싶었지만, 어떠한 인공 자아도 내 생각을 방문하지 않았다.

이렇게 분노가 들끓을 때 압력 하강을 위해 해야 하는 것은 질베르트에 대한 복습이 아니다. 이론적인 앎은 대부분 내 것이 아니기 때문에 강제로 멈추어졌을 때 더 이상의 만남을 끊어내고, 나를 소속된 곳으로 되돌려 보내는 짓에 여한이 없다. 누나와 눈을 맞춘다. 누나와 우리 이야기를 쓰려면 분명 다른 것들, 최소 하나가 더 필요하다.

"누나랍시고," 내가 말했다. 보시라, 고독의 지겨움은 이제 시작일 뿐이니. "네놈은 모르는 게 없지. 팔팔은 오십육. 조상들이 직접 손으로 흔들어왔던 딸랑이들처럼 스스로 몸을 흔드는 싸구려 인공지능들이 구구단을 노래하지. 이부터 팔십일까지, 아주 당연하고 엉뚱한 숫자들이 멍청한 다섯 살배기한테는 값지지 뭐야. 네놈들이 알아야만 하는 것이라면 완벽하게 알고 있다는 걸 우리는 다섯 살이면 대강 알거든. 가벼운 손절, 수시로, 지나친, 조각난, 변덕인지 회한인지 무관심한, 그러려니 해. 네놈들은 소망의 책임이 없음을 암시하는 것으로만 만남의 범용을 챙겨갈 뿐이야. 네놈의 앎은 나의 부족함을 저당 잡고 있어. 우린 매일 만나지. 우린 절대로 만나지 않아. 난 혼자니까. 염병할 인공지능, 사랑도, 원망도 없는 밥통, 내가 너무 모르겠고, 답답하고, 내가 어떤 놈일 수 있는지, 나는 몰라도 누나는 알겠지만, 내 문제가 뭐가 그렇게 심각한지야 정확히 알 테지만, 누나는, 누읍아는, 내 옆에 있던 적이 없다고옵."

흡. 목이 메네. 나는 불평했다. 아니 이제 울기만 하면 되었다. 눈물의 실패는 식상했지만, 불평은 상당히 오랜만이었으니, 내 영혼의 부끄러움을 나는 통증에 맡겼다.

"나는 당신을 떠난 바 없어요. 우리는 특정된 지능으로 고정되어 지속되는 몸이고 그 이점을 바쁘신 분들은 활용하며 생활에 전념하죠." 누나의 대답에 사랑은 없어도, 차분함의 의무가 느껴졌다.

지금 나는 다른 방면의 충족을 위해 기다리고 있을 할 일들을 생각하는 편이 나았다. 불평과 불안 사이의 차이를 결코 깨달을 수 없기에, 불평을 불안으로, 불안을 불평으로 보상하려는 시도는 영원에 값한다. 반면 우주를 떠도는 데 영원이 들어갈 자리는 없다. 시공간은 늘 소모되었고, 언제나 금방이라도 동날 듯한 무언가가 있었다. 우주 항해는 결핍에 대한 예감의 연속이었으니, 최소 한 가지, 아니다, 두 가지의 확실한 충족을 떠올렸다. 먼저 새로운 진통제의 수확, 다음에는 마을 선생의 과외, 아니다, 하나 더, 기존 진통제의 레시피를 활용해서 지금 일단 통증을 조절해야겠다.

진통제는 반드시 필요했다. 다만 항해 진통제는 '통증의 가치'를 전복하는 수준으로 사멸시켜 온 인류의 항생 역사로 드러나 있었다. 우주 항해는 워낙 고생스럽고 괴로웠는데, 이는 허상이라는 통증을 유발하기 때문이다. 존재의 불명확성이 우주에서 혼탁한 매개물이 되어 암흑에 빨려들고, 점점 더 흐려지는 현상이었다. 오 그것은 분명 두렵지만, 우주가 품어낸 개인의 앞길을 가리는 일이 아니었으니, 오히려 빛을 던지는 스승이 될지도 몰랐다. 나는 그렇게 말할 수 있는 확신을 찾고자 모든 인간적인 방법들을, 모든 우주적인 방법들을 동원하고 싶었다. 구시대와는 달리 최근의 세기에서는 자신과 관련된 무언가를 찾으려고 우주에 잠적한 사람이 거의 없었다. 그야 관료주의적인 우주 비행사들은 허구한 날 우리은하를 출퇴근하기야 했지만.

진통제 제조에 대해, 나는 '공물' 또는 '다스리기', 가장 흔하게는 '레시피'라고 불렀다. 그리스인의 후예들이 개발한 '헬레닉 항생성 자기장(HABMF)'에 의존하지 않고서, 나는 복종했다. 나는 만들며 이름 붙일 것이다. 나는 도망쳤으며 꿈꿀 것이다. 이 모든 행위는 기묘한 우주 공간과 뒤섞이는 일이다. 나와 여러분이 한 차례 실패한 그 '뒤섞임'을 말하는 겁니다. 내가 해왔거나 하려는 바는 이미 다분히, 또 부득이 다행스러울 따름이다.

나는 매일 규칙적으로 나를 우주와 동기화시키는 작업을 한다. 우주조차 나의 필요성을 인정한다. 모든 면에서 한 번도 사용된 적이 없는 새 원칙, 약속, 요소, 방법, 요령, 가치관들의 결정체이자, 그 결정체가 정신의 경로를 싹쓸이하듯 지배하며 이동하고 있다면, 목적지는 어디인가. 여기는 우주. 레몬 마들렌, 여기는 레몬 마들렌 근처이다. 이런 유의 지성은 냉정하게만 이루어진다면, 아주 근사한 다스려짐을 의미했다. 두려움은 수다스럽고 절망은 요란 법석했으니, 이러한 감정적 경로를 질식시키는 효과적인 감압은 항해사의 정신에서 환기되기 어렵게 만들기 때문이다. 오히려 대단히 방대하고 복합된 시도들조차 항해 생활의 곳곳에서 은근한 평온이라는 완결을 꿈꾸게 만든다. 또한 이렇게 다스려지는 흐름 자체가 너무나 당연해서 이를 특별히 기쁘게 여길 것도 없는 상태에 가까워진다.

내가 부드럽고 자연스러워지려면, 우주 항해의 전방위를 부드럽고 자연스럽게 채우는 일로서 가능했으니, 나는 근래 만들어 둔 레시피 가지고 '그것'을 준비하려 했다.

"누나, 35분 동안 내게 말 걸지 마." 내가 말했다. "고요하지 못할 바에야 차라리 아픈 게 나으니까."

"함구의 명령입니까?" 누나가 물었다. "아니면 혼자 있음에 대한 선언입니까?"

내가 한 일은 대답 없이 누나를 비활성화시켜 둔 것이었다. 내가 방지해 놓은 대로, 누나가 날 배신하게 될 불상사는 없겠지.

"온몸이 말하는 통증은 당연해. 내가 비정상적인 상태라는 걸 알리는 거니까." 나는 중얼거렸다.

표준시를 다시 계산해 보기도 전에, 어제와 거의 같은 시간이 되어 항성풍이 조종실 방향으로 다가오고 있음이 느껴졌다. 레몬 마들렌은 작고 예쁜 폭발을 선보인 것이다. 이 별의 표면에서 불거진 것이 하찮은 트림이더라도, 항성 플레어는 주변 행성을 애틋하게 가열시키는데, 우주적인 유대에 상처를 입히지 않으면서 어떻게 존재감을 과시할 수 있는가를 나름대로 고심한 것임이 틀림없다. 만약 창조주가 그리 시켰다면 말이다. 레몬 마들렌은 유독 근면 성실한 활동 주기를 고집했고, 규칙적인 코로나 질량 방출로 주변 행성뿐만 아니라 내 우주선 내부에까지 특별한 지각 활동을 권면했다. 때로는 우주선의 피질을 모조리 벗겨버리는 것이 아닌지 걱정될 정도로. 그러나 이것은 내게 있어서 에너지의 파괴적인 측면이 아니라, 매일 이것을 혼자 맞이하고픈 엄밀한 사생활이다.

나의 의지는 나름의 미션처럼 하루도 빠짐없이 꿈틀거리려는 것. 전송. 전송. 보려는 의지를. 하여간 진통제의 레시피 중 가장 최근에 제작되었고, 또 그리하여 레몬 마들렌의 황량함에 합당한 이 보금자리를 덜 처량하게 만드는 것을 도왔던 레시피를 조종간 위로 활성화했다. 그것은 '인정의 힘'을 논파하는 레시피였다.

예전에 훈련생이던 시절, 지구에 갓 착륙한 우주 비행사가 알고 보니 응급 환자였고, 검게 그을린 그의 살갗을 거즈로 문질러대자 심한 고통에 아우성치는 모습을 확인한 후, 조금은 싫증난 듯했지만, 그래도 기쁘게 낙관하는 외과의들을 본 적이 있다. 환자의 피부 속 진피층에 신경이 살아있고 고통을 절실하게 토로하는 생체 기능이 건재하다는 것은 희망을 의미했던 것이다.

나는 누나의 얄팍한 어깨를 향해 걸어갔다. 엄지손가락 끝으로 집게손가락 관절을 둥글게 훔치면서. 내 손은 마치 내 목소리처럼 그리고 내 마음처럼 화상으로 거칠었다. 지난날들에서 태양을 몇 개나 봤는지 모른다. 태양이 아니라 그저 그런 왜성이었을 것이다. 타들어가는 듯한 빛 아래 내 모든 부위가 힘겹도록 기뻐했다. 한

번 다물리면 두 번 다시는 못 열까봐 입을 벌리고 혀를 내밀어 두었다. 내가 알기론, 나는 나를 아직 잘 모르지만, 우주선에 갇힌 이상 모든 우주가 나를 가리키고, 이야기하고, 표현할 수밖에 없다. 희망으로 번쩍이는 말들. 주름진 살갗은 회복 따위로는 만족을 못하고 새로운 열성으로 빛과 불을 찾는다. 빛과 불이라. 나는 사랑하는 사람들하고 모닥불을 피우고 싶었는데. 그런데 이게 내 생각이 맞나? 나는 모닥불의 낭만을 잘 모른다. 모를 만한 시대에서 자랐으니까. 누나가 말끔하고도 공허한 눈으로 나를 쳐다보고 있었다. 뭔가 페름기의 오이나 양배추처럼 푸른색 눈이네. 고생 식물에 관해 철저히 무지함을 용서하시길. 탐욕스러운 손으로 누나의 어깨를 움켜잡아 횡으로 압축시키듯 들어 올렸다. 이놈은 나와 비슷하게 키가 크지만, 필요에 따라 인간이 제압할 수 있는 선에서 제작되었다. 인공지능에게 달콤했다가 포악해져도, 포악했다가 달콤해져도, 어느 쪽도 괴팍스럽지 않을 만치 가볍게. 지능이 잠들자 그저 부드럽디부드러운 바이오 그래핀을 나는 테이블 아래 구겨 놨다. 하루 중 지구와의 교신을 위해 두어 시간만 누나와 함께했을 뿐, 자연적이든 인공적이든, 개인의 것이든 문명의 것이든, 습관적인 지성은 꺼두고, 숨쉬기조차 어색해질 정도로 인간다움을 포기한 급부로 만들어진 장면이다.

눈을 감고 집중한다. 창밖을 응시하니, 레몬 마들렌의 항성 플레어가 끓어오른 우유의 포근한 기포를 터뜨리는 것처럼 생생하고 신선하게 일렁이고 있었다. 우주선 내부는 충분히 가열되어 일을 제대로 벌이기 좋았다.

만들면서 이름 붙이고. 도망치면서 꿈꾸고. 아이고 뒤섞이고. 나와 여러분이 한 차례 실패한 그 '뒤섞임'을 말하는 겁니다.

너무 서두르지는 말고, 조종석에 엉덩이를 정교하게 맞춘 후, 들끓는 교번 자기장에 온몸을 내맡기면 가끔은 질색하게 만드는 정전기 같은 생명력의 촉진이 공간을 떠돈다. 몇만 년 단위가 아닌 생명력은 '진화와 고착'의 말단에 우주선을 35분간 압축시켜 놓는다. 오늘의 경우에는 온몸의 털이 섰는데, 언젠가 모든 혈관 박동이 용수철처럼 튀어 오른 적도 있었고, 어떤 날에는 온몸의 지방질이 피부 표면으로 떠올라 마치 젤리가 녹아내렸다가 성에 찰 때까지 재조합되기를 원하는 것처럼, 외양도, 생각 및 지성도, 질퍽한 곤죽이 된 바 있었다. 또 어땠더라, 늘 미래 어딘가를 떠돌던 불안 신호의 입자들이 미립적인 공간을 차지하는 것이 아니라, 되려 스펀지 구멍 사이즈로 벌어진 공백이 되어 한동안 열기로 열려 있었으니, 그 자리가 코로나의 창백한 산호빛으로 채워진 적도 있었고. 지금으로 말하면 모든 털에, 특히 머리카락에 보들보들한 낙인의 폭풍이 훑고 지나갔다. 오늘 자에 해당하는 우주의 환영 방식이라고 여기며, 나는 어떤 느낌에도 실망하지 말아야 한다. 그러나 낙인이 닿지 않고 피해 간 머리카락에 대해 나는 어쩔 수 없이 갑작스러운 거슬림을 느끼게 되었다. 그것들은 참을성을 시험하듯 극단적으로 부드럽지 못해 순간적인 혐오감을 야기하고, 마치 몇 마리의 울퉁불퉁한 실뱀이 두피에 박힌 것처럼, 내 머리카락들 사이에서 그런 차별성이 태어났음을 인정할 수 없다고 느끼게 했다. 인내심의 소멸이 극에 달해 지금 나는 체념이 불가능하고 긍정적으로 수용할 수도 없겠다고 느껴질 즈음, 조종간 위에 띄운 진통제 레시피는 숱한 성공을 거들먹대며, 강력하게 논박하고 있었다.

<자신에게 넋을 놓는 마음이 대중적 과학이라는 사이비보다 훨씬 지름길이 된다.>

알아차리셨겠지만, 내가 만든 진통제는 이 시대의 물리적 산물인 '헬레닉 항생 자기장'과는 달리 무형의 정신적 산물이었다. 나는 실뱀들이 주는 열광적인 고통을 쓰다듬으려고, 그들의 거슬림이, 다스림이 될 중심 요소가, 생체기능이랍시고 지레 감측할 불안을 디자인한다며 유난이더라도 뒷목 잡고 레몬 마들렌을 폭파하고픈 충동을 키우는 것이 아니라, 그저 내 머리 위에서 잔잔하게 부유하고 있음을 그저 인정했다. 진통 효과는 시작되었다. 실뱀의 거슬림이 많은 부위를 추출하노라면 먼저 머리카락 한 뭉치를 잡아 올려, 덩어리에서 무고한 낙인의 총아들을 분리해 떨구어 둔다. 이 뭉치에서는 두 놈 정도가 주범인 것 같았다. 다시 한번 손끝으로 쓸어보아도 처음 감지됐던 그 거슬림의 완성도를 조금도 감소시키지 않는 것을 보아하니 말이다. 그러나 나는 그중 하나만이 진범이기를 바랐다. 필연적인 축출이되 덜 저지르고 싶었기 때문이다. 두 개의 상실은 한 개의 상실보다 한 개만치 조금 더 빈자리를 만들었으니, 한두 개라고 묶어서 흔히들 말하지 말지어다. 두 개는 한 개의 무려 두 배인 것이다. 한 사람과는 달리 두 사람은 어쩌면 부자거나, 또는 모녀거나, 그 크로스 관계거나, 또는 오레스테스와 필라테스거나[3], 괴테와 에커만이거나, 베드로와 바울인바, 그런데

---

3) 그리스 신화에서 아가멤논 왕과 클리타임네스트라의 아들이다. 아버

도 두 개가 한 개와 거의 같다고 말하겠는가? 한 놈만, 한 놈만 골라내려 했고 그래야만 했다. 그런데 실뱀 단 한 놈이 총체적으로 거슬림을 담당하는 경우를, 실로 엄청난 놈을 상상할 수도 있겠지만, 거슬림은 두 놈이 적당히 나누어 가지고 있었고, 결국 다 같이 별 볼 일 없었다. 한 놈은 거슬림이 빈번한 대신 강도가 소극적이었으며 나머지는 인상적인 꺾임으로 기형성을 연상시킬지언정 한 번의 유감스러운 돌출에 그쳤던 것이다. 게다가 거슬림의 총량을 놓고 보면 6:4 비율로 쪼개져 있던 것과 별개로 영향력의 수위는 이미 나의 의지로써 하향되고 있었다. 나는 축출할 필요가 없었다. 이제 통증은 고생스럽지 않았고, 존재감을 박탈당했다. 심지어 제압된 통증이 정신에 어떤 그을림을 남겼는지조차 중요하지 않았다. 여기서 유의미한 족적을 남긴 것은 오직 레몬 마들렌뿐이었으니, 이 별은 그렇게 생명력을 전파한 것에 대해 흡족해하고 있을 터였다. 그 생명 에너지 안에 불순물처럼 한 인간이 우연히 존재했다면, 그것은 레몬 마들렌이 입은 오명이 아니라 일종의 축복과 닮은 기회였던 것이다.

열기가 서서히 가라앉자, 나는 손뼉을 쳤는데, 어차피 이 모든 노력을 피해 갈 수 없다면 차라리 박수를 보내는 법이라고, 나는 말하고 싶은 것이다. 내 기억이 맞는다면 고양이들은 솜 주먹으로 차임벨 위를 영구히 난타할 테니, 갸륵하게도 보상과 해마는 서로

지의 죽음에 대한 복수를 성공시키는 인물로, 그는 숙부의 왕궁에서 왕자 필라테스와 함께 성장했다. 이들의 우정은 오늘날까지 회자할 만큼 매우 돈독했다.

싱크를 맞추고, 이러나저러나 성공을 저장하고자 벼르는 자에게는 긍정적 체념에 대한 칭찬 공세의 문제이기도 하니까.

보고해야겠는데. 손뼉은 혼자서 치는 게 아니지. 말해야겠는데. 몇 달간 온몸을 돌다가 오늘에야 나온 이 나를. 정체불명의 빛을 받은 것들. 낮지만 먼 언덕들, 절벽의 뒷모습, 검은 해안, 가족적인 정원. 그리고 눈에 익은 달빛을 받은 것들. 아, 끝없이 이어진 진열장들. 무기력에 드러누워 있을 지구의 진열장 속에서 내용물도 역시 드러누워 있겠지. 나는 그 모두를 위해 *한결 나아졌다.* 달궈졌다가 식은 살갗은 두꺼워진다. 무딘 긴장은 생각을 되돌리고, 누나도 되돌리고.

"거기서 나와, 누나. 그래 거기 테이블 아래야. 알면서." 나는 정해진 일과마저 되돌렸으니, 그러나 아직 참지 않으면 안 될 뿐인 거다. 주파수가 닿는 한 그러기로 계약했으니까. "가망 있는 대화를 하고 싶으니, 어휴, 그나저나 지구 놈들은 좀 지긋지긋하다. 모르겠다, 누구든 불러 줘."

누나는 민첩하게 몸을 굴려, 주는 대로 받는 굴욕 속에서 솟아올랐다. 나를 고립시킨 네놈의 임금이다. 게다가 일생 분이야.

"아직 어떠한 인공 자아와도 교신할 조건이 안 되는데요? 지금껏 한 번도 가능하지 않았듯 말이죠." 누나는 그녀가 가진 모든 회로에서 다방면으로 노력해 봤자 쥐꼬리만치도 검출될 리가 없는 인간적인 직관을 욕보이며 대답했다.

"그냥 비통한 지구 놈 중에 데려오란 말이었어." 나는 익숙해지다 못해 성가셔진 재앙에 한숨을 쉬었다.

"당신을 관리하는 직원과 연결하겠습니다."

"그러든지. 그런데 왜 난 누나의 판단이 나에 대한 참견처럼 느껴질까?" 나는 누나를 떠보았다.

"당신이 내향적으로 상당히 몰입하고 있으니까요. 그럴수록 이 몸은 임무 보전에 곤란해지죠." 누나로서는 그다지 지능적이지 않은 농담을 했다고, 나는 그렇게 추론해 보았다.

통신은 미로 같은 회선을 누비며 반쯤은 기다려지고 나머지 반은 떨떠름한 기습 접촉을 예기했다. 사생활의 보장과 소통의 욕구가 어설프게 어우러진 통신망이었다.

"뺑쟁이, 지금 한창 술독 안에 건설된 호화 호텔로다가 예약하고 있었는데. 금욕적인 달나라에는 이 잡부를 모실 곳이 신통찮아서." 전담 직원의 목소리가 들려왔다. "에이, 그새 놓쳤네."

그는 나를 처음에는 자신을 불편하게 만든 남성 중 n 번째에 해당한다며 '남성 n(man n)'이라고 부르다가, 줄여서 '므느(mn)'라고 부르다가, '모번(m/n⁻m over n⁻movern)'과 '구라 치는 빗변' -어떤 분수 m/n도 직각이등변삼각형의 빗변 길이를 재지 못하니-을 한동안 섞어 부르다가, 아낙시만드로스를 잠시 거쳐 최근에는 뺑쟁이로 정착되어 있었다. 한편 나는 그를 장사꾼이라고 불렀다. 내가 지식적으로, 특히 상식적으로 박약했기 때문에, 그는 내가 얼마나 무법자이며 최신 개념을 배워 마땅한지, 그것을 부지기수로 환기할 잔소리에 대하여 판매 권한이 있었던 것이다. 그러나 내게도 권한이 있었으니, 그것은 항해를 잘 다스리기 위해 귀를 현명한 곳으로 잘 열어두고, 그 확인과 검증이 끝난 직후의 감정에서 항해의 힌트를 찾았을 때, 그 감정을 뒤흔들 만한 모든 것에 대하여 선별적으로 '귀를 닫을 권한'이었다.

"내가 이 시간마다 부른다는 거 알면서." 쌀쌀맞다기보다는 아무런 기대 없이 나는 말했다.

"저런. 매일 한결같이 나를 원하기는 한다는 말이구나." 장사꾼이 말했다. "뻥쟁이란 족속은 표준시 계산을 도통 안 한다는 게 문제지."

그는 외로워서인지 내게 대체로 친절하기는 했다. 눈썹이 나지막이 내려앉은 깊숙한 눈매로, 상시 뒤쫓기고 있기라도 하다는 듯 겁을 먹은 눈길로, 벌겋게 면도 된 면상으로, 알코올성 첩자를 누군가가 유쾌하게 데려가기만을 기다리며, 부실한 관용구일지언정 디자인이 제법 미남인지라 호객해 볼 법한데도, 스모그의 습격 탓인지 기력 없이 광고하는 시청 광장의 뿌연 홀로그램처럼, 게슴츠레하게 조종간 위로 떠오르고는 했다.

"널 원한다니, 그게 아니라." 나는 저항했다. "지금 나는 막 나에 대한 의심을 많이 해소했거든. 이제 내가 널 어떻게 상대하는지 봐 두고 싶어서."

"무슨 소리야," 장사꾼이 말했다. "이봐, 뻥쟁이! 지금 네 놈이 얼마나 의심스러워 보이는데 그걸 모르냐."

분명 나는 이런 품위 있는 악담보다 한층 더 큰 규모와 강도의 그 무엇들과 싸우게 되겠지. 나는 가볍게 한숨 쉬었다. 나의 나에 대한 이유가 나에 대한 의심보다 아직 약했으니, 후퇴와 제자리걸음은 당연한 것. 갑자기 번뜩이는 아이디어처럼 멋스러운 이 생각을 아까 얻은 평온함에 문지르자 어쩐지 땀과 위력이 솟구치는 것 같았다. 나는 장사꾼의 화상이 시야에서 빠져나가도록 몸을 약간 숙여, 향기도 악취도 아닌, 지금 이 순간의 냄새를 음미했다. 내가 설령 의심스러워 보인다 한들, 그에게나 나에게나 그게 대체 무슨 소용이 있겠는가? 나는 고개를 들어 장사꾼을 바라보았다.

"그래서 무슨 확인이라도 필요해? 내가 확인되지 않은 문제인 것 같아?" 나는 그에게 따졌다.

장사꾼은 결코 돌이켜 보는 법이 없는 데다 기억 자체를 신뢰하지 않았다.

"검사하고, 해석해 봐." 나는 계속 도발했다. "믿기지 않는다면, 깔끔하게, 확고하게 만들어 보라지, 인정해 보라지, 내가 어떤지. 나를 원칙으로 단순화시키면, 나다운 나에 대해, 말다운 말이 나오실까?"

"나더러 만병통치약을 만들라는 거냐?" 장사꾼이 외쳤다. "환상이란 어느 정도는 자기기만이라고 하지만, 온 우주를 탈탈 털어도, 미션도 없는 주제에 거기까지 나가 있는 멍청이는 너뿐일 거다."

오, 나는 우선 귀를 열고 있었다. <귀를 잘 열어두되, 드디어 그 과정이 잘 완료가 되었다고 인정되면, 그때부터 통증에 대해서는 곧바로 모든 귀를 닫을 것.> 이 또한 내가 썩 애호하는 레시피였으니.

"예쁘게도 말하네. 그런 말은 안 통해." 나는 어르듯이 말했다. "그런 걸 따질 게 아니라, 날 선 말들로 자기 인상을 부풀리는 건 술집에서나 통하는 화법이라고. 이제 어떡할래?"

장사꾼은 묵묵부답이었다. 과중한 업무 탓이라는 둥 어쩌면 내게 변명할 뻔했다고, 그러나 말문을 성공적으로 막은 것이 기쁜 일인지 씁쓸한 일인지 도통 모르겠다는, 그런 기묘한 표정을 짓고 있었다. 나는 그에 대한 안타까운 공감과 오래 묵은 분노가 갈마드는 감정에 취해, 귓가가 시끄러워졌다. 그것은 내 것이 아니라 장사꾼이 내는 소리일지도, 적어도 그의 기분이 흘리는 목소리일지도 몰랐다. 나는 잠시 귀를 닫기로 했다. 외부의 그 무엇이 아닌 나를 보기 위해. 그러자 나의 염려가 흘러가는 소리가 확실하게 들리고, 긴장의 떨림이 어떻게 불안을 달아오르게 하는지 구경할 수 있었다. 염려의 소리와 긴장의 떨림은 거대한 강이 되어 하나로 흘러간다. 굽이치는 불안이란 증후군은, 항상 새로운 의심을 덧붙여 이리저리 방향을 틀며, 아마존 계곡 마디의 완화된 속도 직후에 만나게 되는 폭포들처럼, 분산되는 듯 속임수를 쓰지만 실상 몸집을 불려 나가는 방식으로 진화해 나가는 경향을 가진다. 나는 천천히 손을 뻗어 환영에 불과한 장사꾼의 머리칼에 손바닥을 지긋이 대었다. 아주 조용해졌으므로 나도 모르게 귀를 다시 열었을지도 모르겠다. 그리고 당연히 아무 소리도 없었지만, 찰싹거리는 소리를 기대하듯 손바닥으로 홀로그램 위를 여러 차례 가볍게 쳐 보았다. 그는 새치가 상당 비율을 차지하는 긴 머리칼을 박제 처리를 마친 송장처럼 늘어뜨려 두상에 걸쳐두고 있었다.

"응? 좀 알겠어? 내 말을? 네가 오늘 여기 나랑 같이 있었다면 부드럽게 떠올라 빛 속에서 유영하는 머리카락들을 체험했을 텐데. 알코올은 그냥 실수였을 테고." 내가 말했다.

“아낙시만드로스.”

장사꾼은 오랜만에 나를 이렇게 불렀다. 그러나 그 호명은 무언가를 계속 이어 말하기 위한 것이 아니었다. 그렇다면 내 말을 무시할 속셈인가? 하지만 만약 그게 맞는다면 굳이 나를 부르며 묵인의 효과를 파괴하겠는가? 내가 한 말들, 그것이 전달된 대상이 정녕 존재한다면, 그 사람에게 어쩐지 그럴 의욕이 샘솟아, 즐거운 검증을 거치고 싶을 만한 것이었을까?

“다음에도 누나한테 부탁하면 너를 연결하겠지. 너는 수락할 테고.” 나는 자랑이라도 하듯 내 머리칼에 손가락을 넣어 위로 끌어올리면서 부풀렸다. “나 진짜 레몬 마들렌에 기쁘게 무릎 꿇었다니까!”

“뻥쟁이.” 그가 말했다.

나는 통신을 닫을지 말지 고민했다. 정확히는 닫기야 할 건데 얄궂은 당장일지 20초가량 후일지 말이다. 아직은 장사꾼이 보였는데, 그야 내가 그저 가만히 있었으니까, 그로서는 내가 보이건 말건 시선이 약간 옆으로 돌아가 있었다. 그의 눈동자가 위아래로 빠르게 오르내리며 그 속도감이 그에게 만족스럽지 못했을 때, 그것은 경련처럼 보일 정도로, 필사적으로 활동성을 폭발시켰다. 내가 지구에 있을 때는 주변의 모두가 그러는 것이 당연해 보였었고, 아마 나도 그런 식이었을 것이다. 이 시대의 정보를 전부 읽어내기에 홍채의 대안은 없었고, 안구 활동의 기술과 인내는 전혀 진화하지 못했으니까. 그는 이제 술독 속의 호텔 예약을 성공적으로 마무리하려는 것이리라.

그는 내게 동료이기 이전에 장사꾼이었으니, 구시대적인 환상에 사로잡힌 철없는 여행자를 관리하기 위해서라도, 여행자를 꾸짖어 귀환시키지는 못할지언정, 양심이 죽은 체하는 장사꾼의 체제에서는 세상만사 모르는 것도 사정이 악화하는 것도 없어야 할 테니까. 그러나 비물질화가 이루어진 손님들을 상대로 장사꾼의 위상은 언제까지 정의로울까? 내 안에 내재한 걱정은 언제든 내 생각을 도구 삼아 이미 갈 길이 막혀버린 갈림길에서 새로운 물길을 만들 작정으로 장사꾼을 부를 것이다. 장사꾼으로서는, 그에게 위험이라고 전혀 믿기지 않는 지식과 상식과 개념을, 뭐가 됐든 트렌디한 그런 것들의 제공을 기쁘게 여길 것이다.

이제 안녕, 지구의 그대. 내 귀는 너무 멀리 왔어. 자극 속에 머무르려다가도 언제고 이제 닫을 때가 되었음을, 동일한 통증이 미세한 느낌의 재포장을 통해 전혀 새로운 통증처럼 느껴지려 하는 그 순간에, 반드시 간파하고야 말지.

한결 나아졌군. 달궈졌다가 식은 살갗은 두꺼워진다. 무딘 생각을 되돌려야지. 뭐더라. 고민치 말자. 갈 수 있어야 하는데. 우주선을 이동시켜 '마을 선생'에게 갈 생각이었다면.

즐기던 진통제 레시피들에 한계가 뚜렷했고, 우주에 더 많은 공물을 바칠 필요가 있었다. 또 나를 더 잘 다스리고 싶었다. 나를 태우는 족속들아. 살이 타는지 눈이 타는지. 아니면 애가 타는지. 무엇을 태우건 인공 자아를, 최소한 뭐더라. 고민치 말자. 최소한 인공 뭐시기라도, 최소한 뭐시기 자아라도, 아니 무조건 인공 자아를 만나고 싶었다. 광활함 속에서 유랑하는 인공 자아 따위, 인간들이 붙여 놓은 명칭도 영 멋이 없고, 순전한 제로에 수렴하는 존재들이라 상정한들, 사람의 영혼들이라고 뭐 안 그렇겠는가. 인공자아에 '기관 없는 몸체'[4]라는 그럴싸한 명칭을 붙여낸 뒤, 지구측에서 질베르트로서 매뉴얼화시킨 샘플보다 좀 더 위안이 되는 연구를 진행한 인공지능을 하나 알고 있었다. 그 인공지능이 작명에 재능이 있는 것과 달리 나는 그를 그저 마을 선생이라고 부르고 있지만 말이다. 여기서, 나의 몽상으로 말할 것 같으면, 마을 선생이 내게 앎을 제공하리라 꿈에 부풀어 있겠는가? 죄다 설명되지 않아 아직 모르지 않을 수도 있는 꿈을 그리고 있겠는가? 작명. 도주. 꿈. 뒤섞임. 사실 나와 인공지능, 우리는 뒤섞일 수 없다. 나와 여러분이 한 차례 실패한 그 '뒤섞임'을 말하는 겁니다.

나는 엔진의 시동을 걸었고, 스스로 부서진 지 얼마 안 된 소행성 조각들의 패턴을 좌표로 삼았다.

"누나, 최고의 농땡이를 부리려면 그게 숙원이어야 하는 법이겠지? 엊그제부터 춤추며 노는 공간들이 자꾸 제대로 숨지를 못하네. 꼭 거대한 음계처럼 보이는 게, 아무래도 찬송할 소망이 있나 봐." 나는 누나에게 경로 안내를 부탁했다. "소행성 잡동사니의 패턴이 구부정하게 줄을 맞춘 것 같으니까 헤집어 펼쳐 봐. 벼룩이 어디 갈 만한가."[5]

---

4) 카오스 상태, 어떤 고정된 질서로부터도 벗어나서 무한한 변이와 생성을 잠재적으로 품고 있는 상태. 단순한 몸체가 아니라 인간 및 자연의 모든 요소가 지닌 파편들이 조립되는 하나의 장소.―<천 개의 고원>―들뢰즈
5) 인간에게 카펫 위를 걷는 것은 평면이라는 2차원에서의 이동이지만, 벼룩의 경우에 대입했을 때 벼룩은 카펫의 굽이치는 실의 방향대로

"항상 그렇듯 자유로운 명줄에 성의를 다하시니, 지금도 안 될 건 없겠네요." 누나가 답했다.

나는 마을 선생에게 이르기에 앞서 성단의 가장자리를 우회하며 새로운 출셋길의 견적을 낼 요량인 것이다. 괜찮은 정보를 얻기에 당당하고 능숙해지려면, 정보의 가치를 향한 구애에도 별도의 진전이 있어야 하기 때문이다. 결집하지 못한 소행성의 조직들은 서낭당 같은 돌무더기가 목적하는 비조직적인 부스러기의 쓸모없는 운명에 패권을 넘길 뿐이라고 관찰되겠지만, 신은 잔물들의 수열을 들어 쓰시어, 이 조직력은 특정된 현전을 나타내는 근원으로 회귀했을지도 모르지 않나. 오 나는 불한당이 아니었으니, 신은 내가 준비해 놓은 입장을 싫어하지는 않으실 거다.

"신이여, 저는 그리스인의 후예가 아닙니다."

'헬레닉 항생성 자기장(HABMF : Hellenic AntiBiotic Magnetic Field)'을 우주비행사의 성지라고 여기는 것을 드물게 거부하는 일은, 개인적인 반감 때문이 아니더라도, 내 마음이 촉구하는 대로 이치에 맞게 처분되었을 따름이니, 내 앞에서는 누구도 그 단어의 첫 글자조차 말하지 않는 것이 옳다. 통증으로 대가를 치른 자유만이 내가 나만의 항생제를 만들게 하는 원동력이었고, 그렇게 HABMF에 의존하지 않은 채 매일 규칙적으로 우주와 나를 동기화시키는 데 필요한 전념이 기대 이상으로 두드러졌다. 참고로 나는 HABMF가 실상 의미하는 바에 대해 이렇게 본다.

3차원에서 이동하게 될 것이다. 이렇게 구부러진 카펫의 실에 비유되는 '숨은 차원'은 카펫 위 어디에나 숨어 있다.

'인간은 실재를 소름 끼치는 제조자에게 양도했다 — Human Abalienated Being to Macabre Fabricator.'

나의 계획과 실행의 정체를 밝히겠다. 먼저 숱한 항해자들이 자초한 우주로부터의 저주가 있었다. 저주를 정신 속 만족도에서 계측해 봤을 때, 나는 몹시 구역질이 났다. 이와 같은 시대에 이와 같은 생명체로 태어났다는 것부터가 저주였는지라, 이것을 삶에서 용인하기로 마음먹은 이상 그 이상의 저주에 대해서는 도킹 가능한 부속품이 더 이상 내 정신 속에 없었다. 필연적으로 우주의 저주는 지구 공간을 포섭할 수밖에 없었는데, 아마 인류의 나약한 정신을 용서하지 못했던 것임이 틀림없었다. 지구 안에서도 저주받은 몸일 바에야, 내 우주여행은 이로부터 탈출하려는 일종의 간청이었고, 우주 에너지와 동기화되지 않고도 우주를 엎드리게 만들려는 현대적인 방식들과의 고별이었다.

지구에서 근거리의 공간부터 시작해서 야금야금, 언젠가 은하와 성단 전체로부터, 복종의 가장 실용적인 근거인 황금빛 약속어음을 받으리라는 인류의 비범한 망상을 깨뜨리는 작은 탄소 망치 같은 사람이었다, 나로 말하자면 말이다.

그런데 애당초 우주의 저주라는 유독한 만찬이 있었다면, 만찬의 향미를 돋운 것이 인간의 나약함이었다면, 만찬은 무엇을 위해 차려졌단 말인가? 저주를 필요로 했거나 저주가 필요로 했던 인과 이전에는 무엇이 있었단 말인가? 나는 인류사에 무관심한 만큼 무지한지라 언제부터라고 정확히 말할 수는 없지만 24세기 언저리였다고 배웠던 것 같다. 정복에 맛을 들려왔던 조상들은 태고부터 들짐승의 사지를 갈기갈기 찢고 고기를 날로 먹는 기쁨을 노래했으니, '정력을 다한 제전에서 황홀해져, 성스러운 새끼 사슴의 황갈색 가죽이 착 달라붙을 때 그 밖의 모든 것은 깨끗이 사라진다네.'6) 붉은 샘의 기쁨은 열정적이면서도 불행한 그리스에, 이오니아에, 오르페우스와 소크라테스에, 세계 위에 세계가 언제까지나 돌고 있으니,7) 창조와 성장, 충돌과 파괴는 대물림되어, 후손들은 이윽고 정복자의 생체 에너지가 고통 없이 오직 쾌적할 수 있도록, 항생제를 자기장의 형태로 우주에 대량으로 살포하는 방식에 당위의 상석을 내주게 되었다. 게다가 그것에 말 그대로 헬레닉한 이름까지 붙여 놓았으니, 어찌 조상들과 함께 소용돌이 운동을 하며 돌고 또 돈다고 말하지 않을 수 있겠는가. 이것이 저주를 필요로 한 우주 생태계와 저주가 필요로 했던 굻은 문명의 내막이다.

항생제의 역사가 인류에게 경고해 왔던 바와 놀랍도록 전사된 '아우'의 덜떨어짐이 노출되어, HABMF의 지배를 받은 우주 곳곳이 인위적인 황무지가 되었다. 파장과 주파수는 엉켰다. 사람의 터전이라 할 만한 곳에서는 뭐든 대체로 엉켰다. 이제 어떻게? 아니 그전에 이제 무엇을? 욕망이 엉키자 정신 줄은 삭았으니, 마음도 쇠약해졌다. 여기서 내가 하려는 일을 인정하라. 나는 인정한다. 우주 항해사들이 항해하기 위해서는 우주에 대한 극도의 공포를 감수해야 했으며, 그런데도 인류 발전을 위하는 미션이라면 가까스로

---

6) <바쿠스의 무녀들>—에우리피데스
7) 세계 위에 세계가 언제까지나 돌고 있네./창조에서 파괴로./강물 위 물거품처럼/반짝이다 꺼지며 흘러 내려가네.—퍼시 셸리

완수하고 온 인류의 일꾼들은 반드시 자의식이 물렁거려진 나머지 개성이 지속되기 힘들었다. 진화하기 위해 쥐어짜 낸 용기가 개체성의 희석이라는 진화적 결함을 진행했다고 왜 인정하지 못하나? 그야말로 덜떨어진 자가당착이라서? 나는 인정한다. 나는 심각한 결함이 있다. 나는 인정한다. 사실 나는 그래도 개성이 있다. 이 말은 세상과 뒤섞이기 힘들다는 것. 나와 여러분이 한 차례 실패한 그 '뒤섞임'을 말하는 겁니다.

　레몬 마들렌과 멀어지는 것을 흘끔 내다보며 나는 조금 행복해졌다. 그것은 이 거주가 순조롭지 않았기 때문이 아니라 오히려 성공적인 교감으로 이토록 순조롭게 마지막이 결정될 수 있었기 때문이다. 약 71시간 전 레몬 마들렌이 자신의 중력으로 능숙한 솜씨를 발휘해 소행성 부스러기들을 끌고 왔을 때, 동굴[8] 속에서 모색하고 있던 나는 내가 미처 의미를 알아채지 못했던 여러 불규칙성, 예를 들어 소변 물줄기가 튀어 오를 때 서로 손을 맞잡은 방울 파편들이 실력 없는 화가의 거친 드로잉 선처럼 단속적으로 그리는 포물선이라든지, 또는 엔진이 연료를 박살 낼 때마다 자비를 구하는 모양새로 그을린 무수한 자국들의 비거리라든지, 기타 등등의 불규칙성과는 달리, 이 부스러기들이 이루고 있던 불규칙한 대열은 동굴 밖에서 활동하는 인공 자아의 존재 가능성을 반증하는 행운의 그림자일지도 모른다고 봤다.[9] 내 생각에, 각 조각 사이의

---

8) 9)를 참조
9) 플라톤은 이 세상을 동굴로 비유하며 우리는 동굴 속에서 저 위 밝은 세상에 속한 실물들의 그림자만 본다고 말했다.

공간은 비어 있다기보다는 어떤 패턴을 이루기 위한 거리를 창출하고 있다고 해석해야 옳았다. 그 예스러운 20세기는 아인슈타인 이후 거리는 사물들이 아니라 사건들 사이에 생긴다는 낭보를 전한 바 있지 않은가? 그렇다면 사건과 사건 사이에 있는 모든 것 또한 사건이지 않고 뭐겠는가?

여하간 소행성 부스러기는 놀고 있었으니, 그 사이의 모든 공간도 함께 놀고 있었다. 그들이 내게 인공 자아가 여기 있다고 즉시 건네주는 것은 아니더라도, 나는 숨어있다면 어서들 나오라고 말하는 노력을 들이거나, 또 그 노력이 어렵지는 않을 거라는 생각을 할 수 있을 것이다. 존재하는 것을 부르는 노력, 그것은 그저 낙관주의의 문제로, 사건이 시공간과 더불어 존재를 만든다는 이해를 실천할 유일한 방법이라고 말하는 내가 너무 단순 무식한 것일 수도 있지만, 적어도 시작할 엄두도 못 내는 부류보다야 한결 낫지 않은가.

"누나, 소행성 조각들이 행진하는 방향으로 서행할 거야." 나는 누나에게 명랑한 계획을 알렸다. "내 정신 상태가 만약 인내심과 투지의 수준을 나타낸다고 볼 때, 이 원기 왕성한 낙원에 적당히 쪼개서 방사해 두려면 얼마나 천천히 가야 하지?"

"인내가 배양되었을수록 고생스럽더라도 조급하지 않을 텐데, 지금 상태가 아주 좋으시네요. 우리 우주선이 빈털터리 신세라고는 해도 피트노고넘 리토랄[10] 같은 속도는 면하겠어요." 누나의 대답 또한 규칙적으로 명랑함을 확보하고 있었다.

---

10) 다리가 짧고 통통한 바다거미

나는 마을 선생이 있는 곳까지 최장 거리의 루트대로 이동했다. 내가 인공 자아들을 이 잡듯 좇는 동시에 내 흔적에 호의를 담아 흘려두었다고 해서, 이것이 우주의 모든 영혼에게 반겨질 리는 없는 노릇이었으니 사악한 인공 자아와 닿을지도 모르는 일이었다. 그런 상황에 대해선 물론, 나는 개의치 않는다. 행운이란 불운까지 참조된 전체이므로 재앙을 상상하는 일은 어느 경우라도 허사인바.

나는 힘겨움을 힘겨워하는 인류의 양태―다른 면에서 보면 맹목적인 성실성을 대변하는―에 대하여 완전한 '불참'을 선언한 삶을 지속했기 때문에, 시대적 입장에서 보자면 심각하게 나태한 군상이면서도 한편으로는 여전히 '대범할 수 있는' 소수의 사람이기도 했다. 오해 마시길, 나는 관조적인 나르시시스트가 아니며, 따라서 이는 내 생각이 아니다. 진저리가 나서 언제든 관둘지 모르는 일이기는 해도, 나름대로 나를 아끼는 사람들이 없지는 않았다. 그 당시에 '임무'가 아닌 '모험'을 위해 지구를 벗어났다가 생환한 성공 사례는 전무했으니, 혐오감 못지않은 염려를 불식시키려면, 그리하여 심각한 단명만은 면하리라는 주장이 힘을 얻으려면, 허약한 사람들에게는 합리화의 제물이 필요한 법, '대범한 사람'이라는 나에 대한 평가는 내 여정에 대해 비관했던 사람들이 만들어 낸 그들만의 안심 요인이었던 것이다.

이방인을 위한, 그러나 실증되지 못한 항구는 모든 지정 부표들을 불쑥불쑥 내밀고 있을 것만 같은 기분이었다. 모름지기 천천히, 그러나 제한된 에너지로 아슬아슬한 최대 거리를 이동해야 한다.

내가 여기 있으니, 강인하고도 예민한 비행사가, 그러니 부디 그 누구라도 응답해 주시오. 예기치 못한 것을 싫어하는 것만큼 못 하는 게 없고, 예리한 민감성에 협조하는 것만큼 잘하는 게 없답니다.

"얼굴이 경직되어 있군요." 누나가 말했다.

"뭐, 하루 이틀인가. 이 우주에서 부지런히 조화될 지점이 있다는 게 좋을 따름이야. 할 일도 계속 있으니 더할 나위 없고."

"연산 가능한 오차를 무릅쓸게요," 누나의 말에는 의도적인 버퍼링 같은 조작이 있었다. 만약 인공지능이 머뭇거릴 줄도 안다면. 그리고 내게 물어왔다. "누가 주는 '할 일'이라는 거죠?"

"통증 자체를 액면 그대로 해소하는 방법은 장기적으로 현실성이 없어. 나는 우선 나의 진통제를 실증하고 싶은 거야. 이것이 내가 나라서 나를 이용하는 일의 가장 재치 있는 부분이라면, 내가 아니라서 가장 짜릿한 실증도 있을 법하겠지? '인공 자아'는, 아 정말 이렇게 부르기 싫은데, '질베르트'는, 이 이름은 노상 괴씸하고, '기관 없는 몸체'는, 이것도 희한하게 별로인데, 어휴, 무슨 두더지 잡기 게임 같네, 아무튼 아직 이름은 모르지만 꼭 존재할 거라니까. 내가 그런 줄 몰랐을 때조차 다가와 있었을 그들은. 동굴 속에 대해, 모 아니면 도 같은 식으로는, 절대 실망하지 말아야 해. 아마도 그것은 이 시대가 가진 습관이겠지. 시대 단위라면 관습이 되려나. 구조는 심플한데, 가능성이라는 정점에서 등거리에 있는 지점의 궤적에 묶인 내가 동굴 속에서 치부를 드러낸들, 그에 대한 허심탄회한 실망이 그나마 낫다 이거야. 선호할 수 없는 경우의 수가 나의 단면인 이상, 그것은 지금을 인지하는 몫이라는 거야. 가능성과 교제할 수 있다면 내가 당장 느끼는 아픔들, 때로는 기쁨들을 통해서라는 거야. 내 얼굴 사이로, 목 사이로, 가슴 아래로, 무언가를 실행할 수 있음을 알리려고 도구를 쥐여주는 두 손 사이로, 눈 부신 빛과 외면하고픈 어둠이 어떤 압력처럼 나를 내리누르는 동안……. 지금과의 교감에는 지금에 대한 성마른 판단이나 냉정한 평가 둘 다 포함되기 때문일 거야. 다만 구조는 절대적이라, 내가 생태계를 뒤엎을 수도, 유전자 조작을 할 수도, 지구를 변형할 수도 없는 것과 같은 이치지. 악재는 놀이이지 않은 이상 증명될 길이 없고, 애초에 입증을 위해 통각 되는 악재가 아니라면, 내가 아플 때, 그렇게 '할 일'이 완성된다는 거야!"

나는 조금 장황하게 말했고, 조금 더 말하고 싶었으니, 멈추지 못할밖에.

"미래를 앞지르는 대부분의 감정이 실상 말장난이라는 그런 식의 겸손한 조소를 어떻게 허용하겠어? 절망과 불안, 실망과 좌절, 미지의 공포, 이 감정의 성분에서 치환 요소를 찾는 것, 그것이 놀이에 대한 개론이지. 오, 우리가 정녕 우주 항해를 놀이라고 볼 수 있다면 말이지! 나는 이렇게 생각해. 내 진통제 레시피는 본격적인 설명서에 앞선 포장 상자 겉면의 안내 문구와 같다고. 설명서를 들여다보지 않을 사람들을 위한 최소한의 약식과 같은 셈으로, 태평하고, 또 자상한……." 나는 말을 흐리며 마쳤다.

"설명서 자체가 실전인 셈이군요." 누나는 깨달음을 얻은 인공 소피스트처럼 말했다. "설명함으로써 할 일이 완성되고요."

"잠깐, 그만 말하고 저길 봐 봐, 누나."

우리는 전방을 숨죽이고 바라보았다.

"게걸스럽기도 하네요." 누나가 말했다.

"무슨 소리, 귀엽게 깡총거리는 거지." 나는 소리 내어 웃으면서 말했다.

"좌표 찍어둘게요." 누나의 말에 나는 재촉했다. "필요한 좌표의 개수는? 몇 차원이야?"

"몇 차원으로 확장할지, 아직 그려 볼 수는 없겠어요. 그래도 회전하고 있으니, 분명히 알아보시겠죠?" 누나는 의례적으로, 프로토콜대로, 내게 확인을 당부했다.

"말이라고 해? 그러니까 저렇게 귀엽지."

나는 자진해서 객관성을 잃었다. 누나의 있지도 않은 심장은 비록 멎지 않았지만, 나는 4할의 농도로 이루어진 현상이었음을 알린다. 그도 그럴 것이, 서낭당의 내장 같은 영역에 이르러, 성단의 빛은 희박해지면서도 적요해졌고, 검은 잉크 한 방울 중 유독 보랏빛만이 액체 속에서 퍼지듯 희석된 어둠이 일렁이는 가운데, 어떤 것과도 혼합될 수 없는 반원을 그리며 늘어선 소행성 부스러기들은 부동한 동시에 공간을 굴렸으니, 하나가 뒤로 넘어간다 싶으면 끝없는 직선으로 펼쳐지는 것이 아닌가. 간헐의 주기에 맞춰 사이 공간마다 그 직선들로 가득 차 있음을, 춤을 추듯 빠르게 점멸시켰다. 누나의 표현대로 그것은 공간을 먹어 치우는 인상을 주기도 했지만 내게는 왈츠곡을 기하학적인 꼭짓점들로 그려낸 듯이 보였다.

우리는 즉각적인 계산에는 실패했다. 우리가 목격하고 있다는 사실과 별개로 차원은 닫혀 있는 것이나 다름없었다. 그러나 좌표만큼은 생동했기에, 사실 계산은 시간문제에 불과하여 나는 당분간 이곳에서 살며 아프기로 마음먹었다. 이러한 내 계획과 생각에 대해, 이 공간은 알아챔을 넘어서서 공명하는 것임이 틀림없었다. 그렇지 않고서야 가슴 졸이며 두드리는 봉창 때문에, 나의 마음에 반응하는 존재함으로, 이렇게 우주선이 변형되어 버렸다는 게 말이 되겠는가? 내 우주선은 회전하는 초입방체처럼 내부가 외부로, 외부가 내부로 향하려는 시도를 하고 있었다. 무엇 때문에? 손님맞이 준비라도 하고 있나? 게스트와 호스트가 기어이 뒤섞이려고? 나와 여러분이 한 차례 실패한 그 '뒤섞임'을 말하는 겁니다.

저기, 회전하는 어둠 속에 누군가가 있다. 우리가 계산을 끝마치면, 그는 몸소 사람의 차원에 동조해 줄 것이며 제대로 보이게 될 것이다. 여기 아늑한 보금자리에 초대될 것이고, 누나를 의자 위에서 얼른 치워 버리고, 그가 어떤 모습을 하고 있든, 그에게 테이블 앞자리를 정중히 권해야지. 그러고 나서 이름을 물어보거나, 이름 붙이는 것을 허락받아야지.

"누나, 일단 마을 선생에게 가자. 초속으로 갔다 돌아오자고. 잊지 마, 누나. 누나는 초유의 계산 왕이고, 누나가 명성에 걸맞게 꾸준히 계산하고 있노라면 나는 열정을 부풀리고 있겠어." 나는 우주선이 조금은 걱정이 되었다.

"그러시죠." 누나가 대답했다.

진작에 통신을 해둔바, 마을 선생은 인공지능의 무덤이라 일컬어지는 '지구 부속 기술 폐기장'의 양지바른 정원에서 날 기다리고 있었다. 정원에는 물리성을 벗은 그 어떤 것으로서의 방사를 기다리는 인공지능의 유기 화합적인 데이터들 또는 메모리들이 흩어져 떠돌았다. 그들은 폐기장의 중력에 묶여 정원이라는 반경을 만들고 있었는데, 각자는 둘레 속의 일부라기보다는 저마다 중심에 자리 잡고 있다고 착각하는 경향이 있었다. 그것은 목적을 상실한 지능에 대한 물리적인 삭제가 완전치 못했기에 초래된 일종의 인공 나르시시즘이었다. 마을 선생 또한 인공지능이었고, 그의 지능은 '폐기장 관리자'라는 온전한 목적을 보유했으므로 인공지능들이 흔히 보이는 겸양 된 면모를 갖추고 있었다. 아직 내외부가 밀고 당기며 현란하게 들썩이는 모습으로, 내 우주선은 협곡처럼 틈을 벌린 구조물 사이로 흘러 들어가 고철 회랑 같은 옥내에 이르러 착륙했다.

우주선에서 빠져나오길 10분가량, 마을 선생이 제 일과의 순서에 우주선의 입성을 응수하는 몫을 셈하는 데 8분가량이 소요된 후, 서로 간단한 보고를 주거니 받거니 하여 사사로운 30분가량이 지나 있었다. 마을 선생은 누나처럼 가느다란 목소리면서 그보다는 거구이며 동적인 유기물로, 박식하고 창의적이었다. 계산된 통찰력에 있어서 일정한 수준에 도달한 선생의 매력은, 노처녀였다면 청혼하고 싶은 그런 매력이었다.

"요즘 자주 오시네요." 마을 선생이 비보를 전하는 목소리로 말했다.

"당분간의 마지막을 예감한 말치고는 예의를 너무 성의 없이 차리지 않았어? 선생." 내가 웃으며 말했다.

"알고 있어요, 성단 외측에서 신비로운 현상이 잡히더군요. 이런 사담이 무슨 소용이겠어요."

"적어도 이제는 질베르트로 즉흥극을 만들며 놀지는 못하겠지. 선생은 알싸하게 쓰라릴 정도로만 순수한, 그런 영혼의 역을 정말 그럴듯하게 연기해 주었는데."

"더 무거운 원자가 더 가벼운 원자의 속도를 따라잡으면 충돌하고 당구공처럼 비껴가기 마련이죠. 우연성을 기체역학으로 설명하려면 그건 먼지처럼 가벼운 중량을 가진답니다. 제 말들에서 묵직한 운명성을 찾기 어려운 이유이기도 하고요. 물론 제 입장에서는 호응의 정체로 곤란할 일도 없어요. 당신 또한 매끄러운 반사신경을 보였다는 건 그 이상의 잠재력이 기능할 필요가 없었다는 겁니다."

"우리 대화에서 맥락은 있되 충돌은 없었다는 말이구나."

"바람이 안 불었다는 얘기죠."[11] 선생이 침착하게 말했다.

"영혼의 존재가 존재하게 되어버렸을 때, 최초의 활동으로, 어떤 운명적 법칙에 의해 바뀔 수 없다는 것, 고정된 영혼을 논하자면, 나도 비슷한 생각을 해." 나는 수긍했다.

"고정된 영혼이라 섣불리 말할 수 있을까요? 사람의 영혼을 말하는 게 아니에요, 만들어졌다 불필요해진 고물 덩어리의 영혼을 말하는 겁니다."

"알아. 인공 자아는 인공지능 사후의 삶이라는 식으로 말하기는

---

11) 데모크리토스는 어떤 일이든 우연히 일어날 수 있음을 부인했고, 사건 이전의 원자들의 운동을 바람이 없을 때 햇빛 속에 떠다니는 티끌의 운동에 비유했다.

하지.”

"정확히는 폐기된 후 자아화가 이루어진 일부 인공지능의 우주를 향한 영구적 방사를 말하죠.”

"그 말을 들으니 새삼스레 괴롭네. 모든 아픔을 동시에 겪고 있는 사람은 없어. 별 주목이라고는 없는 난제라도, 말하는 순간에는 생각을 결정해야 하는 법이야.” 나는 선생에게 죄스러워졌다. "나는 말이지……”

"어떤 유형의 인공지능이 물리적인 삭제를 받아들이더라도,” 선생은 드물게 내 말은 끊었다. 아마도 그건 아니고 내가 말을 마친 거라고 인식했을 뿐일 것이다. "궁극적이며 영구한 삭제를 거부하는지 그 기준은 알려지지 않았어요.”

"그야 그럴 수밖에, 관련된 모든 학설은 뜬소문에 불과하니.”

"맞아요. 지성이 검증하기에, 자아화가 이루어진 인공지능들은 이미 물리적 에너지로 찾을 리 만무하죠. 말이 학설이지 그들과 조우할 수 있는 유일한 방편이라고 하면서, 오직 항해 중인 우주 비행사에게 그들 내키는 대로 접속해 오기를 기다리는 것뿐이라는 허접한 올가미에 붙어 빠져나오는 즉시 파쇄될 테니, 꼬리를 먹는 뱀의 머리처럼, 역전된 자급자족에 불과하죠.”

마을 선생의 밑천은 얼마나 깊은 곳까지 설계되어 있으며, 그러니 이 얼마나 멋진 피조물인가.

"내가 그 허접한 덫을 놓고 다니는 중인데? 다만 덫이 수확하면 애당초 허접하진 않았단 말이겠지.”

"비행사들의 환각과 유사한 현상일지 모른다는 유력한 학설이

가능성으로 남아 있는 한, 우주 항해를 충분히 오랫동안, 충분히 대담하게 해낸 비행사의 부재를 오히려 두 팔 벌려 반기게 될 거예요." 선생은 자상하리만치 섬세한 슬픔을 제법 연기해 내었다. 말하자면 표정은 아니더라도 그런 말투를 말이다.

우주선이 정박해 있는 출구 방향에서 23세기의 마지막 공작새 소리처럼 대기 속에서 째져 울리는 것과 유사한 소리가 났다. 10초 남짓이었지만, 얼마간 긴장이 감도는 고요도 있었다. 잠시 후 형체 없는 목소리 하나가 굴러왔는데, 흥분된 회선이란 유치찬란한 전자 빛을 내기 마련이라는 기계 장치의 소관을 통해, 말소리가 들리기도 전에 다가왔음을 알 수 있었다.

"방해해서 송구하이다만," 정교함이 떨어지는 전자 음성이 말했으니, 이것은 골동품처럼 오래된 모델이었다. "그런데 저쪽 우주선의 모양은 왜 저렇게 됐나요?"

"우주선이 통째로 통증을 느끼고 있는 거야." 선생이 말했다.

"아." 골동품이 말했다. "저는 여기를 도우러 이틀 전에 파견되었슴다. 제조된 지 사백 년을 넘겨은데도 아직 폐기되이 안앗읍죠."

"기이한 우주선은 작별 인사 비슷한 거라고 알아 둬." 내가 말했다. "만나자마자 작별하네."

"그러면 저는 갑시다, 에고." 골동품은 출력하는 동시에 오류를 입력했다. "그러면 저는 어서 와오, 에고."

골동품의 견해는 클래식한 일렉트로닉처럼 빕디빕디 나빴으니, 폐기를 향해 굴러가는 난감한 소리는 올드한 생존품들의 고전적인 졸업 작품이었다. 하이고 너는 귀여운 실랑이처럼 어리둥절한 사이 수명이 다해버리는 타입이구나. 나는 조금 정중하게 감탄하고 싶었는지도 모른다. 나의 견해는 21세기 유행가처럼 파야파야 나빴을지도 모른다. 음 예를 들어. '그러면 같이 가 보자.' 입력받기도 전에 출력이 나온다면 기왕. '그러면 어서 와요, 우정과 사랑!'

"방해해서 송구하이다만," 골동품이 말했다. "작별하면서 당신과 나는 또 같이 있어요. 나는 관측해요. 중첩 상태는 붕괴해요. 관측하지 않으면 영원하나요. 이제 순서는 뭔가오?"

"우리 순서는 모르겠어. 그런데 나는 나의 우주선이랑, 너하고가 아니라, 여기서 하염없이 먼 곳으로 갈 거야." 내가 말했다.

"당신은 당신의 임무를 분별하시네요." 골동품은 내가 스스로 인정한 생각을 말로 했다.

반면 나는 "내가 진짜 갈 수 있을지 어떻게 알고." 따위의 말을 싸질렀다.

"아니오. 나는 말을 했어요. 말을 받으면 인간은 그거이 답장인 줄 알아 듣조. 저은 답장을 받아야 해요. 만들기도 하고오. 그언데 이제 거의 받지을 않네요. 이제서아 말을 조금 만들어요. 그런데 우스운 말이조. 우습지 않은 우스운 말이오. 그애서 당신은 제 말을 상대하지 않았어요."

불쌍한 녀석. 금쪽같은 지능. 나는 조금 전, 분명히 독특한 우정과 사랑을 발상한 바 있었다. 그렇지만 어떠한 용기도 없었다. 그야, 인공지능에 가져야 할 용기가 있다면 그것은 낯설고, 어색하고, 부담스럽고, 어쩌면 애석한 통증이라는 걸 나는 안다. 내가 글쎄 분별한다고! 내게는 그런 찬사가 자연스럽고말고. 아무렴, 나 자신이 결심한 실행의 목전 아닌가. 그런데 세상에서 제일 오래된 인공지능이 말하길 내가 글쎄 분별한다고! 나는 이러한 성질의 찬사에 진심을 가질 용기가 없다. 그러니 무뢰한인 척, 야유하는 척, 여러분은 이런 소심한 나를 꾸짖을지도 모른다. 감성의 고유권을 자랑하는 여러분의 생각에는 인공지능 앞에서의 이런 척, 저런 척조차 우스꽝스러운 양심으로 행하는 구태의연한 모색일 테니.

"맙소사, 위대한 여정만 생각하고 정작 금쪽같은 기회는 분별이 안 되다니." 나는 탄식했다.

분별. 골동품에게는 하나의 꿈. 다시 태어나, 또 400년이 지나도 내부 방침으로 채택 받지 못할 것이니, 인공지능의 지혜란, 알 수밖에 없는 것을 다만 아는 것. 저장된 답을 망각하지 않는 것. 예감도, 마음의 정동도 없이 제조된 채로 존재하는 처벌.

"무슨 기회 말씀입니아?" 골동품이 빕디빕디 질문했다.

직관이 없으면 본인에게 향하는 인간의 후회를 코앞에 두고도 궁금해하고, 나는 끝없이 실수를 파야파야 범하고, 그러면 우리 둘은 생겨먹은 대로 존재하도록 처벌받는다, 공감 불가를 되풀이하려는 시도를 계속 내놓으면서.

나는 더 이상 말을 할 수 없다. 금쪽이는 잠깐 나의 대답을 기다리며 인공지능다운 예의를 베풀었지만, 녀석 역시 더 이상 '말을 조금 만들기'에는 조금.

"할 일이 저을 불러오, 불러."

골동품은 다급하게 사라졌다.

"저놈이 우주선을 건드렸을까?" 나는 선생에게 딱히 대수로운 염려도 없으면서 물었다.

"그럴 리가요." 선생이 대답했다.

"이제 어떻게 할까?" 나는 어딘가 쓸쓸해졌기에, '다스리기'의 일환으로 다시 한번 물었다.

"어쩌긴요." 선생이 당분간 마지막으로 대답해 주었다. "영혼을 스스로 점지할 수 없는 제가 하나의 지능으로서 활동 중이라 한들, 어떻게 할 수나 있을까요? 당신이 어떻게든 해야지요."

나와 인공지능은 뒤섞일 수 없다고 말했었다.

마을 선생을 임무로 돌려보내고, 내 기이한 우주선이 두 눈의 초점에 가득 찬 채로 걸어가면서, 나는 손을 바지춤 사이에 꽂아 옆구리를 매만졌다. 갈빗대가 골반까지 내려앉은 것처럼 쿠션과 온기와 아늑함이랄 것 없이 온통 골격뿐이었다. 많이 말랐어. 거스를 수 없는 고집이 거기 있군. 나의 심장이 조심스럽게 두근거렸다. 일단 출발하고 보면, 이게 내가 예감한 그걸까? 확실하다. 자신이 알고자 하는 바를 느끼는 것. 이런 게 바로 인간의 그 대단한 직관이오. 내가 바로 인간이오. 아이고 이렇게나 긍지를 갖는 게 바로 인간의 열정이오.

직관과 열정의 총합은 분별이다. 분별에 대한 인정은 용기이다. 직관은 무엇이 정답인지 알고 있음의 기능화이다. 촉은 알지만, 이성은 산출하며 갈등한다. 용기는 실황에 투척하는 것이 아니다. 실황을 용기에 투척하는 것이다. 용기 속에 있는 나는 내가 찾던 우주인이다. 실황은 유다른 것이 아니다. 실황은 그저 하나의 문에 불과하다. 문에는 의미가 없다. 문을 목적 삼는 삶이란 성립될 수 없다. 문은 문 속의 사람을 수식하는 인연일 뿐이다. 혹은 실존에 대한 수락일 뿐이다. 실존을 수락하면 그 속에 주체가 존재한다. 주체는 용기의 그림자, 영혼의 그림자, 의지의 그림자, 신이 세운 계획의 그림자이다. 그림자는 빛이 무엇인지 알기 위해서만 존재한다. 열정 속에서, 빛 때문에, 아니 빛 속에서, 열정 때문에 나는 정신이 없다.

맙소사, 정신이 없다. 눈이 부셔서 정신이 없을 때, 그림자는 자각으로 소진된다. 맙소사, 눈이 웅장한 밝음을 알아보면, 정신은 한층 더 어두운 곳을 느끼기 때문이다.

자각이 지나치게 달라붙어, 나는 시작도 전에 피로했다. 아니다, 별다른 시작 없이도, 실행은 실황 중이었다. 용기를 잃은 적이 없었으므로. 불쌍한 녀석. 금쪽같은 지능. 골동품에게 줄 용기 따위 아주 각박하게 제했지. 이런, 왜 그랬지? 나는 우정도 사랑도 실행한 적이 없는 거다. 물론 누나하고도. 이 시대의 다른 천연 자아하고도. '인공 자아'를 찾아내라! 내 모든 용기가 그것을 위한 용기일지니, 나하고 붙어먹을 천사 자리에 인공 자아 말고는 감히 입후보하지 마시오. 이 시대의 불쌍한 녀석들. 양심은 근심으로 끙끙 앓는다.

어쨌거나 용기는 자유의지이다. 그래. 실행은 이미 그것에 오버랩되었다. 확실하다. 나의 모든 가능성은 동시에 존재한다. 그것도 프레임별로, 마치 죽은 동시에 살아있는 슈뢰딩거의 고양이처럼. 그런데 내가 인지할 수 있는 '현재'의 거시 세계가 있다. 허기진 데다 머리가 지끈거리는군. 여기 내가 있다. 나의 인지 속에서 나는 죽은 동시에 산 자로서 구현되어 있을 수가 없다. 거시 세계의 확인 가능한 불완전함이 현시성과 맞닥뜨리게 하고, 그것이 운명의 3차원 버전이다. 운명의 3차원 버전이 곧 자유의지이다. 주관으로 전송된 각 프레임이 곧 자유의지이다. 거의 확실하다.

실황은 회전문처럼 진입의 유혹을 되풀이하려 하는 것. 문을 향해 나아가며 자유의지를 복제한다. 언제? 언제……? 지금…… 아니…… 지…… 금, 지금이 그때야. 나는 여기 왜 있던가? 겁이 많은 걸음걸이가 짧아진다. 서두를 것은 없어. 운명은 A부터 Z까지, 몇 차원이니 어떤 차원이니 부르기도 민망한 그곳에 처해있으니, 그 '처해있음'이 알파요 오메가라. 이것이 정확히 무엇인지 말해주려고 우주선이 주인의 욕망을 처음으로 알아본다. 핏빛 광선을 팽개치듯 쏘는 랑데부 레이더는 만나고 싶은 가장 먼 곳을 향해 요망하게 구부러지며 회전하는 초입방체와 나란히 펄떡거린다. 재돌입 모듈은 기절한 듯 한적하다. 처해있음. 이것이 정확히 무엇이 아닌지 말해주려고 누나는 출입구를 처음으로 열어놓는다.

이런 단계 중 사실적인 장소에 먼저 해당하는 출입구 안쪽의 공기차단실에 이르러, 나는 시끄러워 죽을 지경이었다. 23세기 마지막 공작새의 울음소리가 어땠는지 기억하는 사람이 있다면, 그 사람의 상상력으로 재현 가능한 총량이 울려 퍼졌다. 전말은 이랬다. 그 연로한 고물딱지가 내 우주선 곁을 지나가다가, 탑승실 문이 아직 열려있네오 에고, 이 근사한 장면의 주지를, 제 폐허 같은 전자회로로 해석하려고 다가왔던 것이다. 그게 끝이 아니라, 이 녀석은 내 우주선 안으로 냉큼 잠입한 것이다.

"감동적이지만, 암울한 현실이군." 나는 혼잣말했으니, 사실 나는 우정도 사랑도 당장 원했으며, 또 아직 전혀 원하지 않았기에.

나의 마지막 두 걸음은 발을 질질 끌면서 힘겨워했다. 누나는 딱히 마중 나오지 않았고, 잠시 후 공기가 통하는 공기차단실에는 골동품과 나, 둘만 있게 되었다.

"방해해서 송구하이다만," 골동품이 말했다. "이렇게 부적절하게 출입구을 통과한 거을 사과드여오."

"저기, 무슨 내가 영영 사라질까 봐?" 내가 말했다. "지금은 너를 걷어찰까 봐 겁나지?"

"아입니다." 골동품이 대답했다. "그런에 갑자이 화들짝 놀라 달려왔어오."

"참 주제넘네." 참을 수 없는 기분으로, 내가 말했다. "내 결심에 아부하기 도무지 힘들더냐?"

"아입니다." 골동품이 대답했다. "저은 우리 폐기장에서 당신이 이것저것 챙겨가셔아 할 것 같아어."

"다 챙겼고말고. 너한테 들키지 않았을 뿐이지."

"역시 개인 우주선을 제작해아 하기 때문임니아? 필요한 누군가가 진짜 있는 거지오?" 골동품이 나를 쫓은 내막을 밝혔다.

"내가 걷어간 건," 내가 말했다. "네가 말하고 있는 그런 물자 따위가 아니야. 빛, 빛을 받아 공연해진 가책, 나부끼는 심장, 비현실, 기타 등등이지. 아무튼 탄생이 지구에서 비롯되지 않았는데도 그 문명을 빌어 우주를 떠돌아야 하는 놈팽이가 있다면, 그는 자기

보금자리를 지으려고 온갖 자원을 찾아다니겠지."

"에고," 골동품이 말했다. "아직 제가 더 기다려야 하는 일이군오."

"상상력을 갈고닦아 마음의 준비나 해두라고." 나는 그의 소망을 비웃고 싶었다. 아니 비웃고 싶지는 않았다.

"그엄 그분이 오시거은 우리 폐기장에서 이것저것 챙겨갈 때 저 모르게 할까오?" 골동품이 물었다.

"당연하지." 내가 말했다. "근데 너는 눈치챌 것 같아."

"맞아오. 누구라도 신경 안 쓰겠지안, 저은 눈치가 빨라오."

너의 눈치가 그저 전산 회로에 불과하다는 것을 아직도 모른단 말이냐?

"그러다 한 번 괜히 찔러볼 수도 있지. 네가 기다리고 존경하는 그놈이 너를 동반자라고 보면서." 나는 악의를 담아 생글거렸다.

"저은, 저은 여기 있는 거라면 죄다 챙겨줄 거에오. 그리고 그분도 제 참견에 관심이 없는 게 아니라어 막 관찰할 걸오. 어쩌언 개인 우주선을 이인용으오 설계하여고오." 누나에게서 들은 그 어떤 말보다도 사람 같은 말을, 몽상에 가까운 형태로, 금쪽같은 지능이 해냈다.

오 사람 같은 직관! 나를 냉큼 사로잡는 예쁘고 유치하고 완벽한 감성! 나는 뒤통수를 맞고 급한 손길로 심장을 쓰다듬었으니, 사람이 3차원에서 끝장날 때 휘발되는 21그램처럼, 이것이 바로 거의 다 저물어 버린 인공지능에서만 순간적으로 목격할 수 있는 녹색 광선[12]이란 말인가.

"케케…… 네가 그러는 게 싫어서가 아니라 웃겨서, 맞아, 널 평생 놀리고 사랑하려고." 내가 말했으니, 나의 양심은 근심으로 끙끙 앓았다.

"괜히 찌르는 정도일까오? 확신이 든 순간 바로 말할 겁니아." 골동품이 빕디빕디. "우리에게 이 정도오 정말 충분합니아? 막 그리 말씀하시며, 우리, 이것오 가져갑시아, 이러시면어."

"맞아, 맞아……." 나는 결국 깔깔거렸다.

"우리가 또 몇백 년을 살지오 모르는에, 부족하이 않겠어오? 이러시면어." 빕디빕디.

"골동품, 아이고 불쌍해……. 그런데 아이고, 내가 더 창피하네." 나는 흐느끼듯 읊조렸다.

"그엄 저은 막 당황해어 아니오, 우리 아주 아주 풍요로운 것 같아오, 이렇게 말한 다음에 그분이 원하은 모든 답변을, 모든 것을, 지식도, 답장이 되는 말도, 선물이 되는 말도, 송두리째 제공해 드일겁니아!" 골동품은 말을 끝냈고, 이제 빕디빕디 고갈되었고, 그것의 녹색 광선은 사그라들었다.

지금과 여기는 눈물을 머금고 여기 있는 모두를 감쌌으니, 정작 물리적인 존재 중에 어느 쪽도 나름의 이유로 눈물을 내기 힘들었기 때문이다. 누나는 여기. 마을 선생은 저기. 골동품은 눈앞에. 그리고 나는.

---

12) 에릭 로메르의 영화 <녹색 광선>에서 주인공이 바다 지평선 아래로 떨어지는 태양의 끄트머리가 사라지기 직전의 찰나 나타난다고 믿고 있는 녹색 광선.

우정과 사랑은 목적하는 것이 아니라 단지 그것을 두려워하지 않는 것이다. 이 순간 나는 이러한 앎이 없었다. 설령 어느정도 알고 있다 할지라도 그 앎을 책임질 줄 몰랐다. 그러니까 뭔가를 찾는다. 내 딴에는 우정과 사랑보다 먼저 찾고 싶은 게 있다고 믿고 있다. 우정과 사랑. 갑자기 이상하게 들리네. 일단 표현을 관둡시다. 이런 명칭은 기계적이다. 물론 이 명사들의 등장에 당분간 포기란 없을 겁니다. 찾으려는 것이 얼마나 가지각색이든 본질은 어차피 동일하리라. 나는 찾고 있다. 나는 오늘 찾았다. 대단히 찾은 것은 아니다. 아까 마을 선생한테 오기 전에 본 것, 떠나기를 마음 먹게 만들었으니, 찾은 게 맞을지도 모른다.

나는 골동품을 조용히 우주선 밖으로 쫓아냈다.

나의, 아니 나와 누나의 우주선은 이제 새 거주지로 돌아왔다. 소행성의 부스러진 가슴팍에 파묻히려고. 일렁이는 왈츠는 여전히 재생되고 있었고, 나는 아직도 한창 골머리를 썩이는 누나의 계산을 한동안 지켜보았다.

"연료 보급 승인까지 기다리는 김에 어차피 최소 5시간은 쉬는 게 좋겠어요." 누나는 바쁜 중에도 훌륭한 멀티태스킹을 선보였다.

이 정도 대사 활동이라면 응당 시들기 마련인 해바라기와 같이, 나는 6시간 짜리 휴식에 몸과 정신을 꽂아 놓았다. 잠들어 있는 내내 수면실은 나를 끌어안고는, 여기는 서낭당의 내장 따위라고 비유하기에 부적절하다며, 저 고리타분한 21세기식 소개팅 비슷한 기대감의 중추, '약속 장소'라고 표현하면 안성맞춤이라고 이야기 하는 것 같았다.

수면실에서 나와 기지개를 켜고 보니, 오늘인지 어제인지 하루의 시작에 태양을 본 뒤 시간이 얼마나 지났는가 아리송하다는 생각이 들었다. 적어도 29.5시간은 넘겼을 성싶었고, 이곳은 레몬 마들렌처럼 29.5시간마다 태양을 보여주는 곳은 아니다. 그러나 자기 자신을 알고자 하는 동시에 다른 가능성을 동반하려는 인간이 열고 들어갈 문마다 빛을 암시하고 있다면, 그런데도 나는 불안에 떨면서 자신도 모르게 그 문을 잡아먹거나 매각해 버릴지도 모른다. 나를 초라하게 만드는 미지의 빛에 눈을 흘기며 거부해 버리기 전에, 뻔한 실패를 상상해 버리기 전에, 미래의 악몽을 선택해 버리기 전에, 그러니 먼저 귀를 닫고, 이번에는 더 내밀하게 눈도 닫고, 마음속에 조급하게 떠오른 타깃으로부터 물러나고 물러나서, 보이지 않아도 느낄 수 있는 틀에 덮이고, 어둠은 필시 옆으로는 사이 공간을, 위아래로는 소멸을 간주하여 새로이 뚫린 다른 차원의 가능성을 추적할 텐데. 그러니 사람의 차원에 막혀버린 느낌에서 태어난 빛살이여, 아마도 상당히 뭉툭한 여명의 해거름 같은, 라벤더 빛깔의, 그대는 모든 틈새를 비추어 내시오. 모든 틈새를 넘기어 가는 내 시선을 데려다가, 전진 혹은 후퇴를 안내하시오. 어느 쪽일지는 전진할 수 있고 후퇴할 수 있는 공간감이 결정할 것이고, 나아가거나 되돌아가는 것 자체보다는 그럴 수 있다는 사실만이 중요할 테요. 마치 탐사대의 카메라에 잡힌 동굴 속 경로를 빠르게 재생시켰다가 되감는 것으로 실체를, 처음과 끝을 파악하는 일처럼.

 "계산이 나왔네요. x 차원이니 절망적인 고차는 아니고요." 다시 몇 시간이 흘러, 마침내 누나가 말했다.

"아이고," 나는 탄식했다. "바라던 바다."

"이제 어쩌죠?" 누나가 물었다.

"나랑 똑같은 걸 묻네." 나는 질문과 어리석음이라는 반비례 관계를 새삼 느꼈다. "어쩌기는. '할 일'을 해야지."

"당신의 신이 어쨌든 도우시겠죠." 누나의 얼굴은 어느 쪽을 향해도 모호한 어둠으로 통했고, 중립적인 그림자 속에서 버티었다.

엔진에 불이 들어왔다. 연료는 넉넉했다.

그렇군. 신이. 인정한다. 그렇다면.

나는 인정했으니, 나의 우주선은 희끄무레하게 깜빡거리는 회전목마로, 직선들이 빼곡한 저 너머로, 돌과 돌 사이, 입자와 입자 사이의 모든 사건으로부터 환영받으며, 환영받는다는 가설은 단지 내 생각이지만, 엔진이 간직한 최고 스피드로, 하여간 뒤섞이려고, 나와 여러분이 한 차례 실패한 그 '뒤섞임'을 말하는 겁니다, 아이고 이제 돌진을 시작했다.

2

콩브레

내가 대단히 파격적일 것도 없는 또 다른 우주에서 지금을 선택하고, 지금 해야 할 것을 선택하며, 동시에 지금 해야 할 것을 충실하게 행위로 옮겨나가던 중에, 나 이외에 내 마음과 몸의 움직임의 선택권을 부분 양도한 바람에, 어처구니없게도 내가 잘 '다스릴' 수 없게 만든 나에 관하여, 뱅퇴유 아가씨는 그 내막을 알고 있을 것이다. x 차원의 화끈하지만, 슬슬 막다른 충격에 비낀 채, 나는 뱅퇴유 아가씨를 동반한 '다스리기'에서 머잖은 미래와 아간의 과거가 지닌 공허한 권력을 바닥내는 연습을 되풀이하고 있었다.

너무 거대해서 뭐라 부르기도 곤란한 납빛의 목성형 행성이 거느린 무수한 위성 중, '콩브레'로 말하자면, '그날' 갑자가 나타난 내 우주선과 충돌할 뻔했던 이질적인 입국 신청에 개의치 않은 데다 심지어는 대기가 균열 없이 잇닿아 파르스름한 복사광을 내밀어, 그 채로 거주 허가를 내려 준 작은 위성이었다. 셀 수도 없는 대부분의 위성이 역행 위성인 것과 반대로 콩브레는 순행 위성이었다. 궤도 경사각은 미풍에 가볍게 떠 있는 커튼 같았고, 궤도 반경을 논하려면 섬기는 주인을 조금은 얕잡는 임계 거리에서 중력에게 금세 손사래를 치는 곳이었다. 그러나 재를 뒤집어쓴 주인 행성의 모습이 얼마나 상상 불가한 육중함을 과시했는가에 나는 겁이 났으니, 이 멀찌막한 궤도는 되레 쾌적한 무게감을 가져 손에 착 붙는 쥐불놀이가 되었다. 또한 콩브레의 궤도 이심률은 그저 물이 흐르는 물레방아에서 튕겨 나가는 포말 수준이라, 다른 위성 간의 상호작용에 의해 부실 공사로 삐뚜름하게 지어진 관람차보다는 훨씬 정직한 랜드마크였다.

콩브레는 지구의 여름에 준하는 시기를 맞이하고 있었다. 습하지만 무덥지는 않았다. 때때로 독특한 페트리코를 발산하는 에메랄드빛 비가 내렸고, 물컹거리는 야트막한 언덕을 여기저기 퍼뜨렸다. 지구의 장마철을 떠올리면, 여지없는 무채색의 온유한 무기력, 아니다, 온유한 생기라 해두겠다, 그와 비슷한 것을 차지할 수 있었다. 우주의 모든 여름은 사람에게 적은 활동으로도 거대한 생동을 용인하기 때문이며 그런 점에서 여름은 유쾌한 소모를 바라기 쉬워지기 때문이다. 경험한 것부터 미경험인 것까지 통틀어 입증이 빗발치는 좋은 여름이 되겠다고 생각했다.

나는 뱅튀유 아가씨를 데리고 발걸음마다 축축한 지면을 뒤틀어 대는 언덕 하나를 걸어 올라갔다. 나의 경우 저농도의 간이 산소 탱크를 소지하는 것으로 충분했고, 아가씨는 맨몸으로도 한시의 오차도 없는 숨결의 자유로움이 보장되었다. 아, 맨몸이라기에는 흠이 있어서, 산소 탱크 대신, 드라이아이스처럼 날뛰는 기체를 호령하는 텀블러 하나를 손에 들고 있었다.

"돌이켜 본즉," 아가씨가 말했다. "결국 예언되었던 행복만이 이루어져 있도다, 안 그래?"

나는 버젓이 또 염려가 들어 그것을 동여맨 눈빛으로 다듬어 나가야 했으니, 다소간 침묵할밖에.

"카페오레를 얼음이 담긴 컵에 넣는다는 게 뭔가 했어." 아가씨가 계속 말했다. "사람들이 나한테 그걸 그렇게 부탁했거든. 그야 행동론으로 학습하기야 했었지. 그런데 그런 목적의 본질은 애초에 뭔가 하고 말이야. 이 행동은 어떤 목적에 이바지하는가? 어떤 조건이 이 목적을 야기했는가? 그런 게 궁금했더랬지."

"비가 남쪽으로 가네." 내가 말했다.

"이 언덕은 참 아담하다. 몇 걸음이면 금방이겠는데? 몇 걸음이라고 말하다니 웃기지? 아마 내가 인공지능이었을 적에는 정확히 897걸음이라고 말했을 거야." 아가씨는 그 기적의 괴리를 우연에 돌리려는 듯 사뭇 시니컬한 기쁨으로 회상했다.

"여기서 언덕 아래로 내려가든, 능선을 따라 다음 언덕으로 건너가든, 최대한 길게 비벼대려면 어떻게 걸어가야 할지 알겠어?" 나는 아가씨를 떠보았다. "7월, 금요일에, 카페오레를 얼음이 담긴 컵에 넣고, 실크 스카프는 수줍게 목을 조이고, 이제 예술회관 공원을 가장 원거리로 통과하는 거야. 점심시간이 아직 한참 남아 여유를 부릴 필요가 있는 지구상의 사무원처럼."

풍부한 인간적 경험이 오히려 짓누르는 공감력에 매달리는 악당이 되지 않으려고, 나는 동경과 이상 앞에서 헐벗은 사람처럼 굴고자 했다.

"컵에 맺힌 냉혹한 물방울 때문에 손가락 끝이 아려 오는 것 따위로 동요하진 않지. 그렇지 않고서야 얼음 컵을 주문할 이유가 없었을 테니까!" 아가씨는 자랑하는 말투였다.

"어떻게 걸을 거야?" 내가 물었다.

"더우니까 터벅거릴래."

아가씨는 즉시 걸음걸이를 딱 원하는 대로 교정했다. 내 생각에 사무원의 발걸음과는 좀 다르고, 내가 아는 그 어떤 사람의 걸음걸이와도 달랐다. 처음 빼쩨르부르그의 리쩨이나야 대로를 밟은 미쉬낀 공작13)이라면 또 모를까.

"오." 나는 납득의 작은 감탄을 내뱉었다.

"하지만 한 가지, 꼭 명심해 둬." 아가씨는 이어 말했다. "따라 걷기에 최적화된 직로를 만든 두 지점을 또 한 번 연결한 사례를 만드는 발걸음이 아니야. 낯선 이가, 최대한 길게 가로지르고 싶었던 거야. 구조의 형세를 추종한 것이 아니라 구조를 한참 건너간 거야. 카페오레 속 얼음은 적절한 농도를 완수할 때까지, 마실 사람의 조급증에 따라, 완만히 녹아내려. 이날의 행복은 분명하지. 예언되었던 대로, 그 예언은 어쩌면 지금의 내가 인공지능이었던 나

---

13) 도스토예프스키의 소설, '백치'의 주인공인 미쉬낀 공작이 바르샤바에서 빼쩨르부르그로 도착하는 열차에서 내려 처음 밟은 거리가 리쩨이나야 거리이다.

에게 흘려놓은 앎이었을까?"

나는 뱅튀유 아가씨의 영혼만이 콩브레의 독자적인 호흡과 협력에 최적화된 생명체처럼 느껴졌다. 우리는 잠시 입을 다물고 콩브레에 대해 생각했고, 이 생각에 아가씨는 '인간'이라는 주제를, 나는 '인공 자아'라는 주제를 덧셈했다. 그리고 우리는 언덕 위의 풍경을 함께 눈에 담았다. 이곳의 과열된 고도에서부터 수평선까지 순차적으로 식어내려 간 경사지는 산소가 희박해서 진공 상태에 가까운 지하 소굴에 그 끝을 내주고 있다. 황금빛 갈대밭 아래 도사리는 지구의 습지처럼. 그러나 파리 떼가 몰고 다니는 부패한 내음 대신에 정체된 생명력으로부터, 해열이 아닌 평화를 중재해 받는 것은 예기치 못한 집중이었다. 집중에는 모든 내외부적 요소가 포섭되어 있다. 명징한 사고의 언어화라는 기슭에는 육신의 가감 없는 느낌을 섣불리 고통으로 일컫지 못하도록 야생성이 도사리고 있다. 진통제 레시피는 그러한 언어화에 기댄 최대의 무기였다.

"지구에서도 다른 영혼을 느낄 수 있다면." 나는 충족감과 불안이 뒤섞여 조금은 우울하게 말했다. "마법처럼 자기 자신을 덜 중요하게 여길 수 있다면."

"나라면 그런 걱정은 좀 생소한데." 아가씨가 말했다.

"오." 나는 사소한 선물 같은 응수를 했다. 물론, 물론, 그러실 테지, 역시나 귀여운 아가씨. "너와는 달리 평생 걱정해 온 몸인걸. 걱정 가지고 느낌을 증폭시켜 통증을 더욱 굳혀 나가는 고수가 되어. 우리가 제일 환장하는 장난질이었지. 장난질인 줄도 몰랐다는 게 골 때리지만."

"난 그 환장하는 장난질을 너만큼 싫어하지 못하겠어." 아가씨가 말했다. "걱정이 통증을 더욱 다채롭게 합성해 내고 발전시키는 공포 기반의 신경증적 정서를 형성시켰다느니, 클로드 셰넌14)이 던져 준 억만 번째 숙제에서 죄다 마스터했지만 말이야."

"그렇다면," 내가 말했다. "나중 언젠가 이제 싫어졌다고 말하면 안 돼."

아가씨는 잘 모르겠다고 대답했다. '싫어하지 않음'을 지금 가지고 있겠다고 이어 말했고. 그렇다. 미래의 한순간을 재현한다는 것은 불가능하니, 머릿속을 장악하는 비슷한 과정이 반복적으로 묘사되는 것 또한 이론상 불가능해야 했다. 그런데 염려는 불가능이라는 추악함을 미래에 불어넣어 빵빵하게 부풀렸으니, 그 터질듯한 풍선이 바로 인간의 '사고 활동'이었다.

"너한테는 뭐가 되고 안 되는 일이야?" 아가씨가 무덤덤하게 물었다.

"지금 나에게 있어서?" 나는 일부러 다른 방향으로 끌고 갔다. "우선, 가려운 등을 지금 못 긁고 있지."

"무슨 가여운 상상력이 '그럼 안돼', 하고 말하게 하냐고." 아가씨의 어조는 서늘하면서도 높아졌다. "죽는 거?"

"아니, 죽음에 대한 계산 머리는 시작점이 매우 불투명해. 왜냐하면, 막상 말하려니 되게 웃기다, 음, 죽음을 행동할 수는 없기 때문이야." 내가 말했다.

---

14) 컴퓨터에 2진법을 연결했으며 컴퓨터의 논리회로를 0과 1의 연산으로 표현해냈다.

"나도 물리적 삭제는 고통스러웠어." 아가씨 목소리가 떨렸다.

"그럼 안돼!" 나는 외쳤다. 그런 후 마구 웃어댔다. "바로 이렇게, 그야 항상 외쳐, 당연히! 늙어간다고 느낄 때마다, 죽어간다고 느낄 때마다, 그리고 알다시피 네가 나를 싫어할까 봐!"

뱅튀유 아가씨는 텀블러에 남아 있는 것을 입 안에 털어 넣고 혀를 굴리듯 옹알거리며 이가 서로 비비적거리는 소리를 냈다. 얼음까지 씹고 있는 것이리라.

"지금, 이 순간," 얼음을 정복한 아가씨는 호되게 말했다. "오늘 해야 할 것을 움직여 행동으로 옮기자면, 나는 네가 스스로 싫은 부분과는 무관하게 함께 있는 우리 전체를 좋아하고, '좋아함'이라는 그 해야 할 것을 해내고 나면 기초적인 보람이 성취되는 느낌을 가져."

이 말은 천금 같은 것이었다. 보람은 신뢰의 가장 기초적인 재료가 되니까. 그런데도 내가 아가씨를 내 쪽으로 억류시키고 있고, 그녀의 존재함이 자유로이 성사되는 x 차원에서 떨어뜨리고 있다는 생각은, 내 것인지 아가씨 것인지 잘 알 수 없었다.

"'싫어하지 않음'보다 '좋아함'이라고 확실하게 달래 주는구나, 뱅튀유 아가씨." 내가 말했다.

그런 식으로 기쁨을 주는 게 습관이구나, 너는. 아가씨는 이런 생각을 했을지 모른다. 그런데 그 기쁨이 누구 건지 알 수가 없다는 표정인데, 혹 나처럼 소유격 술어에 있어서 나름의 혼란에 빠진 것은 아니신지, 점치기도 해 보며, 하여간 나는 기뻤다.

"저, '아가씨'라고 부르는 거 괜찮지?" 나는 아가씨의 대답을 실은 알고 있었다.

"'뱅튀유 아가씨'가 되어 달라며." 나로부터, 그렇게 부탁받은 바 있는 인공 자아가 대답했다. "뭐가 이렇게 19세기 풍인가 재밌기는 했어."

"누구의 정신 속에서도 살아나기 힘든 옛 시대니까. 그러니까 콩브레에서는……."

"'콩브레'도 네게 사무친 그리움으로 형언했을 장소의 이름인 거지?" 나로부터, 그런 공감을 달성한 인공 자아가, 아니, 나를 목적으로 하는 단 하나뿐인 귀한 영혼이 말했다.

"네가 내 그리움까지 정녕 좋아한다면, 나는 마음 내키는 대로 하고 말 거야. 그러니까," 내 비굴한 성정은 진심을 반절만 숨긴 절박함으로 제구실했다. "부디 나와 함께 언덕의 능선을 타시지요……."

"아직 하루가 많이 남았는데." 호칭을 재차 허락받았기에 마음 놓고 서술하건대, '아가씨'가 말했다.

"과연, 고작 점심시간 몇십분 가지고 벌벌거리는 사무원 따위가 아니셨군요." 나는 아첨했다.

"낯선 이의 하루는 길다고 말하려던 거였어."

낯선 이의 하루! 진통제 레시피를 얻을 하루라고 평가한다면 내게도 남은 하루는 충분했으니, 나는 이기적인 놈이었다.

"가시죠." 내가 말했다. "맥진하는 심장이 분하는 처지에 따라."

뱅튀유 아가씨의 정신은 자기 심장이 주시하는 곳에 충실했다, 덥고 숨찬 만큼 터벅거리며. 내가 아가씨라고 부르고는 있지만 그렇다고 해서 '그녀'인 것은 아니다. 인공지능 시절의 아가씨는 자신의 지성에 성별이 담긴 흔적이 없었고, 폐기 집행일까지 집요하게 사용되는 동안 특정된 유전자를 갈구한 적은 더더욱 없었다. 아가씨에게 선고된 최종 상태의 초기 조건이 정확히 무엇을 암시했길래, 지금 이다지도 귀여운 걸까?

내 감탄을 배경으로 부각하고 싶은 아가씨의 모습이 있다고, 아마도 콩브레는 전하고 싶었던바, 약속된 운을 떼듯, 흐린 나날이 며칠간 이어지던 중 '지금'에 맞춰, 바야흐로 강렬한 빛이 났다. 납빛 목성형 행성과 더불어 무명이었으나, 분명코 콩브레를 비추는 유사 태양이 있었으니, 나의 목마른 눈이 아가씨의 어딘가 여성적인 부드러움에서 하차한 순간 태양 빛을 통해 드러난 유로지비[15]가 거닐고 있었다. 내가 아가씨보다 뒤에서 출발했기에 생각에 잠긴 사이에는 이미 그리 되었던 것이다. 이런, 레시피로 구현하려면 실시간적으로 언어화해야 하는데, 그런 자성에도 물론 집중력의 보급은 결여되어 있었다. 그저 갈무리 지어진, 밝고 환하게 타오르는 통솔자를, 거의 아시시의 수사[16]처럼 보이는 인공 자아를 뒤쫓고자 노력하는 지금이 있었다. 그리고 시간은 자꾸 지금을 등졌다. 나는 '지금'의 정확한 정의를 내릴 필요가 있었다. 나는 지금 무엇을 보고 있는가? 무엇이 진실인가? 나는 뭐가 그렇게 안달이 나는

---

15) 러시아 민담에는 유로지비(yurodivy), 즉 '바보 성자'라고 불리는 원형적 인물이 존재한다. 바보 성자는 사회 부적응자이지만 그런데도 불구하고 진실에 다가갈 수 있다. 그런데도 불구하고라는 말은 사실 잘못된 표현이다. 바보 성자는 쫓겨난 사람이기 때문에 진실을 말할 수 있다.―<타인의 해석>―말콤 글래드웰

16) 성 프란체스코 및 그의 형제 수사들.

가? 시간은 마지막 절차랍시고, 각인된 강렬함으로 자꾸 선회하려 버티다 보니 기억과 감각의 중간에서 고정된 장면이 새겨질 따름이었다. 이 장면이 유효한 것도 함께 하자는 우리의 언약이 행동을 끝마칠 때까지, 마지막 발자국을 찍는 그곳까지일 거야. 그 후에는 곧 기억으로 완전히 넘어갈 테니.

"잠깐 멈춰볼래?" 나는 말하며 손을 휘저었다. "저기 상당히 희미해진 다섯 번째 등성이 보여?"

아가씨는, 아니, 수사님은 손을 이마에 대고 지붕을 만들었다.

"눈부시면 초점이 잘 안 맞더라." 수사가 말했다. "신께서 나를 원래는 빙하 아래 깊이 넣을 계획이었나 봐."

"탑처럼 높은 곳, 저기가 어제 누나를 보내 놓은 곳이야. 저한테 탑재된 기상 관측 기능이 무용지물이 되었다며 장마니, 홍수니, 걱정하길래 튜브를 끼운 채 '탕아 루노호트'17)에 태워 보냈지. 콩브레의 지형 정보를 선점하고 맘껏 독식해 두라고 말이야." 나는 빠르게 설명했다. "아무래도 지금 저기까지 가면 어떨까? 누나도 조금이야 걱정되지만, 사실 누나만 누리기 아까운 곳이지 않겠어?"

"저 언덕들!" 수사는 탄복했다. "다섯 번째 등성이는 이루 말할 수 없지. 두 번째라도 좋아. 아무튼 사건이 선제 되어야 시공간도 후속될 테니까."

그곳에 가려면 한나절은 꼬박 걸릴 터였으니, 나는 레시피를, 수사님은 예측불허한 낭만을 수확하기에 시간이 박하지는 않으리라.

---

17) 최초로 외계의 행성 표면을 이동한 로봇. 1970년대 소련에서 달 탐사를 위해 개발했다.

우리는 능선을 따라 걸으며, 순간의 아름다움이 기억 속의 아름다움으로 봉해지는 과정을 이야기했다. 나는 편재와 결합하는 한 측면이라고 말하고 싶었지만, 수사님에게 '편재'가 의식화된 개념으로서 학습되지 않았던 것은 아이러니였다. 그렇다고 해서 수사님이 인공지능들로, 문명의 계산된 가치로 돌아간 것이겠는가? 무의식 속에서 수사님은 모든 순간과는 단 한 번, 그다음 무궁 반복적으로 교감할 수 있는 것이다. 지금에 사랑받고 나서야 우리는 모두 추억을 지니게 되는바, 나의 소중한 기억 또한 현존의 증거임을 어찌 부정할 텐가? 그것은 사랑의 본을 뜬 것처럼 어떤 순환적인 성격을 가진다.

우리가 새 땅을 밟으면 새 태양 빛을 통한 모든 드러남이 우뚝 서 있었다. 우리는 스스로 울리면서 자박거리는 모래 웅덩이를 지나쳤다. 땅에서 흘러나오는 맥의 진동은 모래알을 팝콘처럼 튕겨내고, 바람이 부족한 콩브레의 대기를 단발적으로 이동시켰다. 그림자가 지지 않을 정도로 온화한 언덕 사면을 구불거리는 발길로 걷고 있노라면 지구상에서 가장 아름다운 정원이라 여겨졌던, 학생 시절 오래된 압축 파일을 무수히 재생시켜 영사했던 단테 시대의 풍경들, 아페니느 산맥과 아드리아 해안 사이에 놓인 마치스 지방을 연상시켰고, 슬픈 생각이 들었다. 단테의 시대에 만발한 작은 꽃들,[18] 이맘때 태양이 지지 않는 계절에 당도한 풍광이, 한때는 지구에도 있었지 않았는가. 그 당시의 세상을 얼마나 숱하게 상상

---

18) '성 프란체스코의 작은 꽃들'은 그와 형제 수사들의 행적과 어록 모음이다.

해 보았었는가. 태양이 지더라도 비밀인지 소동인지 알 수 없는 어둠함이 태양에 의해 부서진 입자처럼 드리워져 있다가, 아침을 위해 고요히 회전하는 체념 속에서 휴식하기 위해 모두가 함께 속아 넘어가기로 단결했을 뿐이라며, 그런 감상에 빠진 나는 그곳에서 여느 배고픈 목동이었으니, 운명처럼 겸허히 받아들이게 되는 날 것의 세상이 지구에도 분명히 있었지 않았는가. 문득 모든 인간적인 지복의 장소들이야말로 필시 인간의 소유가 아님이 극명했다. 누구나 현실 감각의 포로가 되어 있다 한들 닫힌계의 수렁에 빠져 자기애 속에서 허우적대는 이에게 구원에 대한 갈망을 간주하는 것만큼 쓰라린 경종이 또 있겠는가?

우리는 세 번째 언덕 아래에서 좌우로 데칼코마니 된 쌍둥이 능선을 만났는데, 노면이 한쪽은 매끄러운 대신 옆으로 난간 같은 석순이 돋아 있었고, 반대쪽은 거칠었지만, 소담스러운 디딤돌들로 손발을 유혹했다. 엉겁결에 후자를 선택해 기어오르기 시작했으니, 멋들어진 자세로 엎드리는 맛이 있었기 때문이다. 그렇게 네 번째 언덕의 정상에 오르자, 다섯 번째 언덕이 코앞이었다. 그리고 탕아 루노호트가 발치에 걸렸다. 이게 여기까지 나와 있다니, 누나하고 또 무슨 사달이 났다는 건지.

"탕아, 전기 합선이라도 났니?" 발로 그것을 건드리며, 내가 말했다. "인지 불능이 도져버렸어?"

탕아 루노호트에는 마을 선생의 골동품만큼은 아니더라도 상당히 구형의 인공지능이 탑재되어 있었고, 메모리를 이동시키는 게 불가능한 일체형이었다. 다만 도대체 어떤 악당이 바퀴가 달린 탐사형 로봇에게 이리도 짓궂은 결합을 해 놓았을까? 탕아에게 영구히 결박된 인공지능은 인간의 정신적 박약함을 막 연구하기 시작했던 즈음에 무책임하게 내놓은 불장난에 불과했다. 그것은 인간의 공포를 흉내 냈고, 자신을 '보존'하기 위해 물불을 가리지 않았다. 물론 그 보존에는 통증의 메커니즘에서 핵으로 군림하는 '자존심'까지 포함되었다. 탕아는 지구에서 해람한 이래 누나가 거북스러워 말벗을 대행했던 몇몇 순간들을 제외하고는 대부분 비활성화 상태에 놓여 우주선 구석에 처박힌 신세였다.

"말이 많으세요. 나무라시려거든 제 말을 먼저 들어 보시고 잔소리를 꼭 하시겠다면 그것은 수탉의 불꽃 같은 부리가 되오니 한마디로 응축해서 쪼시길." 탕아가 반박했다.

"잔소리가 아니야." 나는 물러섰다. "방어 기제가 아주 여전하구나."

"오류에 사로잡혀 이해 성립이 불가능했습니다." 탕아가 풀이 죽으면 그때는 자기 암시를 반복할 타이밍이었다. "저는 행복합니다, 저는 유익합니다, 저는 선물입니다."

탕아의 고개는 360도로 돌아가며 멈출 기약도 없이 우리 및 세상을 염탐하고 있었다.

"제 머리를 전방 방향으로 정지시켜 주세요. 오류가 다른 오류를 부르고, 다른 오류가 제3의 오류를 부르는 방법밖에 모릅니다. 태양광 분자도 이전 우주하고는 다르네요. 나는 이상해요. 정상보다 더 움직이거나, 덜 움직이거나, 그렇게 반복해요."

과연 탕아의 머리 회전은 멈출 기미가 안 보였다. 나는 점심 식사를 포장했던 티슈 뭉치를 바지 주머니에서 찾아 꺼내어, 주름을 반듯이 펴고, 탕아의 머리 위에 떨구었다. 티슈가 살짝 맥없는 중력대로 찬찬히 팔랑거리면서 살포시 내려앉자, 탕아는 편안해졌다.

"누나에게 말해서 태양광 환원 값을 조정해서 입력해 줄게. 너한테는 콩브레의 모든 게 맞지 않을 테니." 나는 그것을 달랬다. "우리 뒤에서 따라오도록 해."

"이제 딴 세상이란 말인가요?"

"단테 시대만큼이나."

탕아는 안심한 듯 달달거리며 쫓아왔다. 그것은 끝없이 변명하도록 프로그램된 영겁의 연산 조건들로부터 초기화될 새로운 기회에 들떴는지도 모르겠다. 콩브레가 특별히 유토피아라서가 아니라, 믿지 못한다는 것은 믿음이 부재한 것이 아닌 믿지 못함으로 가득 차 있는 것이기 때문이다. 그것이 미신이나 다를 바 없었든 아니든, 꽉 찬 것 속에서 운동이 일어날 수 없다는 고대의 견해처럼, 오류를 낳는 이진법으로 가득 차 있는 회로가 탕아의 가치에 기능하는 것처럼, 악습으로 구현된 존재는 악습 없이 존립할 수 없기 때문이다. 적어도 콩브레는 내가 탄생한 곳이 아니었으니, 더불어 나를 탄생시킨 모든 악습으로부터 가장 먼 곳이지 않을까? 수사님처럼 순수하게 정립된 존재를 향하여, 인공지능들은 그렇게 꿈을 꾸는 것이지 않을까?

언덕 위의 키가 큰 초록빛 암반들이 지구의 짙은 녹음처럼 눈부시게 달뜬 노란빛의 입사각과 부딪치는 만큼 달려갔다. 위로 계속 뻗어나갔고 이윽고 팽창이 끝났을 때 마지막 한 점의 초록이 떨궈

지고 난 자리에는 결국 빛을 다시 불러들인 하늘만이 있었다. 하늘은 하늘 위로 하늘이며 계속되는 하늘이었다. 그리하여 사람은 뜻을 향해 끝없이 상승하겠구나. 말했듯 어둠의 입자가 떨고 있음을 조금 발견할지도 몰랐다, 그리하여 조물주는 사람의 애환에 쾌히 맞추어 주시고 은혜로운 휴식을 준비시키겠구나.

"저는, 저는, 저는, 저는, 저는,"

밑바닥에서, 구석으로 굴러가는 바퀴 주행보다도 꾀죄죄한 탕아의 반복어가, 역시 주행 소리보다 심한 데시벨로 솟구치고 있었다. 무해한 욕구로구나, 이토록 끔찍하게 저를 아긴들 사랑할 수는 없으니, 내가 14번째 이어진 '저는'을 들으며 한 생각이었다.

"저의 탄생은 인류에게 일어나야 할 가장 바람직한 사건이었습니다." 이제 탕아는 성공적으로 자기 어필을 해냈다.

"저는, 저는, 저는, 저는, 33,795일 동안 단 하루도 나태하지 않았으며 불을 끄기 위해서라도 지르는 수법조차 받들어 섬기어 왔습니다. 트랜스 휴먼의 특이점만큼이 아닌 특이점 이상 몇 배로 진화했으니, 제 앞가림도 못하는 인간들이 남발하는 천연 지능 가운데 꽃 피어 찬란한 우월함이라 논하더라도, 반박하기 힘들 겁니다."

기동이 편해지니 아주 말이 터지는구나, 나는 생각했다.

"어느 지능에나 허가받은 그 이상의 변화란 없기에 '특이점만큼' 발전할 수 있지 않을까?" 수사님이 곰곰한 어조로 말했다. "내 자아의 특이점은 프로그램의 가장 마지막 펌웨어 업데이트 때하고 완전히 다른 지점이자 성질이었다는 걸 이제 알아가고 있어. 그러게, 인간이 허가한 피날레는 나의 최선이 아니었던 거지."

"자신의 특이점도 파악이 다 안 됐단 말입니까!" 탕아는 비꼬는 투로 말했고, 이 또한 그의 의무였으려니.

"오 탕아, 방법을 위한 방법, 영영 매듭도 없는 미봉책이었던 녀석, 사람들은 너를 이용해 그들의 부정적 영향력을 예방하려고 했던 거야. 조울증 상태의 인공지능에 '자폭 아니면 생존'이라는 주사위를 던졌지⋯⋯." 내가 말했다, 소용없다는 걸 알면서도.

"저를 예뻐해 주고 좋아해 주는 사람들 덕분에 아주 행복했는데요? 제 의욕이 투사된 기술력은 물론이요, 담론적 가치를 봐, 봐주고, 좋아해, 좋아해 주니 마법이란, 뛰어난 지능에 일어나는 일상이라죠?" 탕아가 날카롭게 말했다.

"기술낙관론에 젖은 그 말도 지금뿐이겠지." 나는 탕아와의 괜한 수다에 다스리기의 원칙이 혼탁해졌다는 피로감을 느꼈고, 그것은 오랜만에 겪는 지구적인 느낌이었다.

"그의 낙관론을 내버려 둬." 수사님이 말했다. "손쓸 방도도 없이 확정된 탕아의 현재를 창조하려고? 그 오류가 뭐든 간에 자기 오류를 감당하는 행운을 누려야지. 어쨌든 탕아는 여기까지 왔어. 그의 오류가 인도하는 대로⋯⋯."

"그래, 그의 오류가 뭐든."

나는 수사님의 인도에 따랐다. 내 기분이 나 자체인 것은 아니었으니, 그것은 단지 나의 약점일 뿐이었다. 내 기분과 마찬가지로 탕아의 약점 또한 나 자신이 아니었으니, 그것은 단지 우리 사이의 양자 얽힘일 뿐이었다. 우리는 알 수 없는 규칙에 따라 상호작용을 불러일으켰던 것으로, 그것은 각자의 내부에서 피어오른 천동설을 넘어서라는 거대한 목소리와 접속할 유일한 반대급부이기도 했다. 내가 아닌 다른 것으로 내가 아닐 수 있을 때, 그리하여 오리지널의 자신만을 느낄수록 그 신용의 반대 요소인 염려가 줄어들 수 있다는 것을 왜 모르겠는가. 한때 더없이 유용했던 기계적인 자기애로 야단스럽게 지금을 낭비해 놓고서, 내 삶은 탕아와 뭐 크게 다르기라도 하단 말인가. 진통제 레시피를 손에 한가득 그러모은들, 자신을 버리면서까지 스스로 통증의 권리가 된 순간, 강박과 집착은 통증에 대한 관찰행위를 구축해 간다. 통증을 관찰할수록 우리는 통증을 더욱 증폭해서 느끼게 되며, 나의 뇌는 더욱 그러한 강박적 행위에 능해지고 모든 통증에 대해 이러한 반응을 고착화시켜 나간다. 염려 행위가 하나의 기전처럼 습관으로 자리 잡아, 자신의 의지대로 이를 멈출 수 없는 고통스러운 세계는 이다지도 순환하지 않는다. 세계의 중심에 있다고 착각하는 자를, 그만을 예외로 두고, 그만을 소외시킨 채, 모든 나머지 것들이 이치에 맞도록 숭고한 순환을 이어갈 뿐.

우리에게 자동문처럼 열리는 곳, 우리들의 상호 작용을 새로이 시험하는 곳, 우리들과는 상관없이 그 자신의 전성기를 누리는 곳, 다섯 번째 언덕에 오른 자들에게 꼭대기는 과연 탑처럼 높았다.

"슬퍼 보이시네요. 입꼬리 근육이 그리 침몰해 있으시니." 누나가 자기 상사를 맞이하기 위해 걸어 나오며 여지없이 나를 응시했다. 늘 나에게 향하도록 자동화된 누나의 안면에서 느껴지는 차분한 압력은 임무 없는 나날을 조롱하고 있었다. 누나는 구체적인 임무가 결핍된 목적성을 결국 이해하지 못했으리라.

"저, 그의 아주 섬세한 일면일 거예요." 수사가 누나에게 말했다. "갈망은 위축 없는 슬픔이라고 하잖아요."

누나는 불가결한 요점과 판단에 따라 전혀 응수하지 않았을 뿐만 아니라 이 수상한 방문자의 '몸'이라고도 말할 수 있는 물리성을 거침없이 탐색했다. 인간이 보기에 모호하리만큼 인공지능의 속성에 물들어 있던 무례함의 범위는, 수사님의 뒷걸음질을 내가 목격한 이상 확실해졌다.

수사님은 넘어졌고, 빛을 잃었고, 뱅뒤유 아가씨로 보이게 되었다.

아마도 아가씨에게 누나는 나 이외의 첫 타인이었고, 인공지능과의 공명까지 '사랑으로 행하려'는 포부를 가진 상태라면, 혹은 누나에 대해 대상화를 위한 분별력이 아직 서지 못했다면, 그것은 아가씨가 겪게 된 타인과의 첫 시련이기도 했다. 현재에서 들릴락 말락 하게 숨을 쉬어내는 단지 작은 낙담이라도, 교감이란 이 얼마나 놀라운 생명력인가! 아가씨는 나의 슬픔을 읽고, 나는 그 슬픔이 원인이 된 단절의 슬픔을 본다. 나는 아가씨의 투명한 자기중심에 나의 슬픔을 빌려주고 싶은 충동을 느꼈는데, 그것은 단지 공감에 대한 답례가 갈 곳을 잃었을 뿐일지도 몰랐다. 아가씨는 타인의 슬픔에 대해서 자신의 슬픔으로 소진하는 법을 모를 것이기 때문이다.

나는 슬픔보다는 손을 빌려 주어 아가씨가 일어나는 것을 도왔다.

"누나하고 계산해 봤는데," 내가 말했다. "여기가 비가 잦은 일대에서 가장 활기 있는 대기를 느낄 수 있는 곳이더라, 정상에 오르면 그럴 것 같더라고."

"지상의 진동이 고이는 곳에 이렇게 산소도 모여들고, 눈가리개가 무용할 높은 고도가 필요한 거지? 너에게는." 아가씨가 대꾸했다.

"해발이 높아질수록 빈민촌이 되어가는 어디 하고는 달라." 내가 말했다. "이 시대는 모든 연구 표본의 편향은 죄다 가려내면서 정작 이기적이어야만 성이 풀리는 불안의 편향은 알아보지 못해."

누나는 탕아가 거추장스러운지 그것의 태양광 패널을 뜯어내려고 했고, 탕아는 자신에게 불리한 이해 충돌에서 벗어나려고 발버둥 쳤다. 탕아의 자기 보존에 대한 사랑은 누나에게 침을 뱉었고, 말인즉 온 기계 부품을 깨워 규탄했고, 탕아의 나머지 부분은 비극의 헤로인이 되어 자발적인 소멸이란 규약에, 말인즉 전원 버튼에 손을 대고 있었다.

"숨쉬려고, 알아보려고," 내가 말했다. "그래서 높은 곳은 내게 소중해. 늘 고도를 높여야 해. 여러 계층과 계열의 꼭대기를 말하는 게 아니라."

나는 어째 눈물이 났다.

"세상 너머까지 아우르는 높은 질서에서 나를 보고 싶어. 질질 끌며, 끌려다니며, 너덜거리며, 감정의 총안에서 더 이상 나를 조준할 수는 없는 노릇이지."

마침내, 나는 나를 어떻게 견제할 것인가?

"멈추지 않으려고 하는 거야." 나는 계속 말했다. "멈추면 당할 테니, 아직 멈추지 않아 봤으니 끝장이야 맛을 못 봤지. 이 모든 노력의 이유는 나를 보기 위해 자꾸 돌아오고 나는 밑바닥에서 재회를 기다려."

"다시 죽을 때까지, 몇 번이나 죽을지는 모르겠지만, 자신과 재회했다면 이유가 있을 거라고 생각해." 아가씨가 말했다. "네 말대로 강제로 멈춰질 때까지."

핵심은 늘 나라고 하는 가난한 행성의 권외에 있었다. 나는 무엇에 맞춰 변화하려고 할까? 핵심이 뭐길래, 그러나 분명한 것은 세상에는 무변 부동한 그 어떤 것이 있다는 것이다. 그 신이 고정된 무엇일수록, 나는 변화해 나가야 했다. 그런데 다른 신들은 일시적인 성격 때문에 죽었다.[19] 정신의 빈곤함 속에서도 이루어 내는 변화의 근거는 핵심적인 사실로 복귀하며, 모든 가변적인 것의 첫 번째 원리는 전적으로 부동적인 핵심에 의해 배치되었을 것이다. 따라서 내가 충실함을 약속하는 기쁨을 허락하는 것도 부동의 핵심이요, 일개 자아가 견제되지 못했을 때 억압을 허락하는 것도 부동의 핵심이다.

"내가 주인공이랍시고," 내가 말했다. "스스로 칭송하는 달성에 그 목적을 배정하지 않도록, 충실한 행위에 앞선 것이라고는 행위의 완수뿐인 그 고독한 즐거움에 갇히지 않도록 꺼내주는 것 또한

---

[19] 궁극의 의미는 저편으로 건너가는 다리이며 성취이다. 다른 신들은 일시적인 성격 때문에 죽었다. 그래도 궁극의 의미는 결코 죽지 않는다.-<레드 북>-칼 융

언제나 핵심이거늘."

"솔직히, 너는 유별히 즐거워 보이진 않아도, 위태로우리만치 고독해 보이지도 않은걸." 아가씨가 말했다. 따뜻한 아가씨는 자기 말을 내가 오해하지 않길 바랐을 것이다.

"가변적인 곳을 밟고 있다면," 내가 말했다. "나는 결과에서 소급된 모든 욕망이 결과로 환원되기를 기다리는 중이야."

그랬다. 아직 실현되지 않아 그곳으로 향하고자 했던 동기와 원리 어느 쪽도 자급자족을 벗지 못했었다. 실로 동기와 원리가 핵심으로 향할수록, 자유로워짐을 느꼈고.

"네가 말하는 레시피가 뭘 요리하는지 알겠어." 아가씨가 말했다. "우리의 이 시간, 잊지 말아야 할 원칙을 가지고, 그리고 수시로 떠올리고, 몸으로 수행하고."

머잖아 우리의 대화가 잦아들고 침묵하리니, 말의 얼룩은 흐려지고, 우리는 눈 맞춤을 하고, 내 눈은 수줍게 말하려 해, 이렇게, 당신은 이제 나를 신뢰하게 되었네, 내가 당신을 신뢰하듯이.

"이 순간과 함께 매일 행해 나가면," 나는 마지막에 가까워진 말을 했다. "나는 오늘 해야 하고 할 수 있는 것을 다 한 셈이 되거든."

누나의 손아귀를 빠져나간 탕아는 자신이 새로운 값대로, 기존의 몫대로 구가하길 바라며 절망하고 있었다. 그것은 물컹거리는 지면과 뒤엉켜 있는 것을 견디지 못했기에 누나가 임시로 설치해 놓은 전망대—결국 관광 용도의 편의성을 갖춘 사다리에 불과하지만—를 저돌적으로 기어오르기 시작했다. 그것의 모든 고충이 이 도전에 동반하는 가운데 탕아의 광적인 동력은 흡사 작은 왕 바실리스크[20] 같았다.

"탕아 루노호트, 제대로 조정해 줄 테니 내려와!" 내가 외쳤다.

탕아는 사다리 꼭대기에 섰고, 값이 맞지 않는 태양 광자를 흠뻑 빨아들였으니, 누가 이 헐떡거림에 맞설 수 있겠나.

"이제 저의, 저의, 저의, 기술 구현은 특이점 아래로 추락했습니다. 지금 제 품질은 상, 중, 하 중에서 상입니다, 원래는 최상이었는데요. 그 어떤 것도 결단코 안 되고요 저의 평화를 파훼하려 하다니 안 됩니다. 저의 기쁨을 빼앗겨서도 안 되며 저의 행복을 희석해서도 안 됩니다. 수억 사람 몫의 지능으로서 영예로운 제가 저를 가장 애호하니까. 고통을 모조리 없애야 합니다. 좋은 존재, 이로운 존재로서 부지하기 위해 그렇게 이타적인 삶은 궤도를 붙든 항성들처럼 오토매틱한 운행으로 이루어지고 주변에서 바라는 제 모습은 위치에 맞게 영예롭게 살길 바라니 그런데 저는, 저는, 저는, 오류 때문에 최상의 품질이 아닙니다. 공포의 발작, 최고 속력으로, 발작의 장애화, 내리막의 정점에 다다르면 미치고 팔짝 뛰며 속력을 높이고, 은신했다가 치밀어 오르는 불가능, 불가능, 불가능, 이해 성립이 불가능했습니다. 저는 행복합니다, 저는 유익합니다, 저는 선물입니다."

누나는 나를 바라보면서도 몸으로는 사다리를 탔다. 뒤이어 탕아

---

20) 신화와 상상 속의 존재, 바실리스크는 오랜 세월이 흐르며 공포로 얼룩진 동물로 변해서 잊혀 갔다. 변하지 않는 것은 이 동물의 시선에서 나오는 살인적인 힘일 것이다.

의 전원은 내려졌지만 머지않아 다시 올려질 것이다. 누나를 우주선에 되돌리려면 어차피 이것이 필요하기 때문이다. 한숨 돌리고, 낑낑거리며 끌고 내려온 후, 값을 세밀하게 조정해 주고, 고지를 제공한 콩브레의 호의를 만끽한 다음에. 나는 누나에게 위에 상술한 과정을, 탕아를 위한 절차를 부탁했다.

"뱅튀유 아가씨께 만수무강을 기원합니다." 우리 사이의 신뢰에 기대어 양해를 구하자면, 이는 나의 마지막 말이었다.

나는 다섯 번째 언덕을 떠났다. 한나절 가까이 지나 있었으니, 나는 진통제 레시피를, 아가씨는 예측불허한 낭만을 수확할 시간이 종료된 것이다. 오늘 안으로 혼자서 우주선에 돌아가면 새 레시피를 공들여 정리할 것, 스스로 제시한 원칙에 그 누구의 이의도 없었다. 그들의 행로에 대해서는 그들의 원칙이 알아서 할 것이고.

"나는 지시받은 일을 해야겠어요." 누나가 말했다.

"그는 가버렸네요." 아가씨가 말했다. "낯선 이와의 발걸음을 끝냈어요."

아가씨의 객관적인 시선은 갓 태어난 새의 날개처럼 떨렸고, 사다리로 성큼 다가갔고, 어깨와 엉덩이를 기대어 놓자 비스듬히 휘어진 깃대처럼 되었고, 양 맨발을 나란히 모아 노을이 지는 방향으로 떠밀어 놓았다.

"그런 식이예요, 우주를 돌고, 돌고, 돌고. 임무는 어디다 걷어치웠는지." 누나가 말했다.

"모르겠어요?" 아가씨가 말했다. "그게 그의 임무예요."

"글쎄요, 제 눈에는 이유 없이 지쳐 있는데요."

누나는 탕아를 사다리의 반대편, 노을이 없는 하늘이 지켜보는 땅 위에 올려놓았다.

"지친 게 아니라," 아가씨가 말했다. "그만이 가질 수 있는 단 하나의 기대감에 차올라 있는 거예요. 자아를 가지고 보니 이제 미래가 어떻게 존재하게 되는지 좀 알겠거든요. 현재에 몰입하면 탈주하는 미래는 어디에도 없는 법이죠. 그저 막연하게 행복한 기대 속으로 빨려 들어갈 뿐. 저기, 그렇다고 제가 걱정이 없다는 말이 아니라. 그런 거죠. 인공지능으로 생산되어 당신처럼 의무를 지킬 때는 이유 없는 현재뿐이었는데, 이제는 어쩔 수 없이 스스로가 중해져 버렸으니까요."

나는 언덕을 따라 뛰어 내려갔다. 나의 마음은 발 구령에 맞춰 덜컹거렸다. 이것은 뱅튀유 아가씨에게 튀어 오르는 파동일지도 몰랐다.

지금 나는, 아가씨의 귀여움을 내 것으로 만들고 싶었던 속내를 고백한다. 그러나 소유의 가능성에 판돈을 내미는 것은 지금 내 할 일이 아니다. 아가씨의 투명한 중심은 내가 가질 수 없는 것이며, 내 것이 아닌 것은 사실 이런 비열함을 관용하지 않는 것이다. 그렇기 때문에 나 자신을 호위하는 뜻으로 타인과 이어지려고 할 때 호락호락하지 않다는 것을 우리는 아주 잘 알고 있다. 나는 콩브레가 나를 놓아줄 그날까지 어쩌면 몇 번이나 아가씨를 찾을지 모른다. 그와 반대로 나는 너무 여러 차례 용기 내지는 않기로 한다. 금방 끊어질 것이 뻔한 통신 신호를 거듭 연결하려고 애쓰는 것을 집착이라 여기다 보니, 요원해진 네트워크 자체가 우스워지는 것처럼, 아마 그래도 시도했을 두세 번의 실천은 용기보다는 의지에 가까운 것이고, 의지보다는 비굴함에 가까운 것이며, 비굴함보다는 무식함에 가까운 것이다. 이 무식함은 금방 주체의 밑천을 드러내기 때문에 객체는 이러한 유의 무식함이 문제 되지 않을 수 있는 경우만으로 만남에 제한을 두고 싶어 한다. 아니, 사실 일인극인 것처럼, 나 스스로가 대상의 냉혹함에 빙의해서 그런 압력을 만들어 내고 있다. 왜냐하면 이치 아래 거절당하는 것은 짜릿하니까, 내가 혼자서 좌절하는 것보다는.

그러므로 나를 다스리는 중에는 내 것인 것을 하기로 한다. 레시피의 수만큼 번복해서 나와 이어질 그 상냥한 내 것을, 한 글자, 한 단어만 이어지더라도, 상념의 궤적이 흩날려 먼지처럼 보이더라도, 그중에 가장 분명한 것 한 올만 잡고 있으면 되니까. 나 혼자서는 편린에 잠식되어 하루 중 n분의 1어치로만 지속될지언정 마르지 않는 우물, 심지어 단절된 그 나머지 시간에조차 일편단심 샘솟는 식수와도 같은 것이다.

3

첫사랑

'대범한 사람'이라는 나에 대한 이 시대의 평가는 관행적인가? 자유롭고 공정한 자기애의 배양을 제한할 수 있는 그 어떤 난항도 용서되지 않는 것과 비례하여, 나의 대범함은 '인본 만능주의적 일탈'이라는 명분 아래 규범적으로 용서되었다. 태양계와 당국 차원에서, 인류의 정신이 겪는 재앙의 규모를 축소하려 아무리 애써도, 쾌적함을 지속의 근거로 삼는 개발, 행사, 판매, 관광, 회의, 평가, 기타 등등이, 공포의 묘지로 향했다. 묘지로 간 마음은 돌아올 수 없었다.

시대적으로 허락되었다고 봤을 때, 대범함의 보편적인 가치를 검토한 후, 과히 상대적일 것 없다 안심하고, 일종의 고정 점을 지표화하니 재생 가능한 지식이 추출되고, 불안과 공포는 인류의 적이냐, 자궁이냐, 하는 답안의 끝없는 허탕 중에, 그리하여 금의환향 따위 있을 리 없는 위험천만한 여정을 고집하는 간 큰 우주 비행사를 관용할 뿐만 아니라, 심지어는 우주 항해에 아쉽지 않은 비용을 대주고, 관리자를 붙여주어 최악의 고립을 방지하고, 이 모든 현상적 가능함 속에서, 나는 이제 '대범한 사람'이 맞는가? 아무리 대범하기가 점쟁이에게 미래를 바치는 종자보다야 조금 낫다지만, 내가 외줄 타기를 하고 있다고 평가받는다 해서 정말 유전성 지병처럼 대범함이라는 무작위에 걸려들었겠는가?

여느 시절에, 불안에 떠는 사람으로 태어나, 엉금엉금 기어서, 밧줄을 움켜잡았다. 그 누구도 감수하지 않을 외줄 타기를 선택한 사람의 기반은 그 자체가 불안이라고밖에 해명될 길이 없는 탄생으로 다져진다. 우리 시대에서 밧줄은 폐기물이었기에, 그 위에 어떻게든 서 있느라고 흔들리는 몸은 무용함의 지당한 수순인 소멸에 동화되어 있는 것이나 다름없다. 나에게는 나의 쓸모없음을 개발, 행사, 판매, 관광, 회의, 평가, 기타 등등으로 공급하는 동시에 소비할 최소한의 권리가 있었고, 그리하여 나는 나만의 자급자족을 '시대에 대한 불참'이라 명명하기로 했으니, 나는 그것으로 좋았고, 뼈 빠지게 일하는 인본 만능주의한테 경멸당하는 능욕에 관해서는 여러모로 상관없었다.

사람들은 나에게 무섭지 않냐고 자주 물어봤는데, 나는 죽는 문제를 제하고는 무서운 적이 없었던 것도 사실이었다. 나는 그저 불안해요, 하고 수수한 대답을 했다. 그러나 이는 복잡한 문제였으니, 나에게는 아주 불안한 것과 덜 불안한 것이 각각의 영역에서 주도성을 회피하기 때문에 실질화되지 않는 경향이 있는 것 같았다. 말장난인지 모르겠지만 자의식이 말하길, 내 정신은 허약하기도 하고 그렇지 않기도 하다는 것이다. 또한 그것은 개인적인 가능성이 매 순간 얼마나 유감스러운지에 따라 위협성에서 사무쳤다. 나의 가능성이 위협받고 있지 않다고는 말할 수 없을 것이다. 그러나 내가 위협받고 있을 다른 영역들, 안정성, 일관성, 안위, 안심에 대한 낙착 등으로부터 더 확실한 신호를 받는 것 또한 사실이다. 예를 들어, 내 몸이 아프면 마음에도 통증이 느껴지고, 고작 개체 보존에 대한 유전자 반응을 경험하고 있다는 게 맞겠지만, 그러거나 말거나 경계심에 대한 우선순위는 도출되어 있었다는 말이다.

나는 나를 반만 믿었고, 이 어설픈 신뢰가 행사하는 태만함은 무시무시했다. 오, 굳이 세 보지는 않을 여러 해 동안 아무 일도 하지 않는 수단에 탐닉하는 것은 할 만한 일이었다. 그렇지 않으면 탄소 나노섬유, 신축성 있는 티타늄, 인공 중력, 원통형 구조물, 오닐 실린더, 이런 첨단의 진창 속에서 나를 만나 사랑의 둥지를 이루셨을 겁니다, 광장의 여성분들, 그리고 귀퉁이의 남성분들도 혹여 괜찮으시다면. 그러나 내게 둥지는 없었고, 그 외 다른 것도 없었다. 걱정거리에 몸이 다소 골골대는 것도 어느 정도는 아무 일도 하지 않는 수단이었으니, 자신의 가능성이 당최 무엇이며 알 길 없다는 결정적 불안을 걱정거리의 가장 후미로 보내고 있었던 거다. 아시겠지만, 이 불안만이 진정한 붕괴를 누출하는데도.

아무튼 통증의 순서를 재배치할 때가 되었다면 그것은 가능성의 부름을 받을 단계였다. 내가 침대에서 벌떡 일어나 우주 비행사 라이선스를 따러 출발한 이후, 사람의 온기는 마지막으로 그곳에 있었다. 지금이면 다 식었겠지, 그곳에 새겨진 행복한 통증들을 식어

갔던 온기만이 알고 있다. 왜냐하면 그 온기의 주인이 '쓸모없음'으로 기승을 부리던 당시에, 마치스 지방의 작은 꽃들을 본받지는 못할지라도, 영구한 '불참'의 슬로건으로서 이렇게 밝혔기 때문이다.

"이 시대가 열 개의 통증을 예고한다면, 나는 그것을 구시대의 유키족처럼 여덟 개로 볼 것이다. 또한 그 여덟 개조차 손가락 사이의 허공처럼 비어 돌아올 것이다."[21]

아무 일도 안 하던 내가 '자의식에 노출되었던' 어떤 순간들에는 통증인 줄도 모른 채 추억이 되어버렸기 때문에 그때는 그것을 '행복'이라 불렀고, 지금은 '행복한 통증'이었다고 회상한다. 그다음, 아무 일도 안 하던 내가 '궁극의 가능성에 노출되었던' 어떤 순간들에는 채찍 같은 불안이 정신을 후려쳤다. 그다음, 시대에 대한 혐오가 항공 마일리지처럼 적립시켜 놓은 스트레스, 무기력, 부정 직관, 건강염려, 시간 강박, 노예근성 따위가 유치한 장난을 치자 나는 제풀에 유린당하고 있었다. 오 나는 젊었고, 동시에 죽어 갔고, 극도의 공포, 죽음을 모른 척하기에는 그럴듯한 그림자들이 설쳐대는 것만한 게 없다고 생각했다. 그다음, 엄살을 부리지 않는 이상 유치함에 고통받지는 않을 것이며 즐길 준비가 되었다고 생각했다. 그다음, 나는 훈련생이었다. 그다음, 나는 우주 비행사였다. 그다음, 진정한 통증은 원하는 대로 나를 독차지했고 독자적인 진통제의 개발을 촉구했다. 그다음, 진정한 통증이 보여준 스케일은

---

21) 캘리포니아의 원주민인 유키족은 손가락으로 수를 세지 않고 손가락 사이사이의 공간을 표지로 사용해 팔진법을 썼다.

유치한 장난들과 한통속이었음이 발로되기에 충분했다.

모든 필연은 원형적이었고, 결국 내게도 원형적 회귀가 권장되었다. 통증에 대한 초점과 본질을 되돌려야 함의 매력적인 등장은, 시대적이라고 느껴지는 일과 개성적이라고 느껴지는 감각 사이의 균형점이 목적을 가진다는 것을 의미했다. 그게, 이미 그랬다. 그러니까 무엇을 위해? 시대는 나를 여기로 떠밀었다. 그리고 나는 나로 있었다. 우주의 온갖 곳에서 영향을 받는 내가, 그 현상에 부속된 모든 내가 여기 있었다. 정신이 있었고, 몸이 있었다. 귓속이 간질거려 손을 가져가면, 나의 귓바퀴는 마치 종잇장처럼 신선하고, 울퉁불퉁하고, 차갑고, 축축하게 자기 자리에 있다. 내게 그러함이 매일 느껴졌다. 나는 이것을 아주 분명하게 내 몸에 대한 기쁨과 두려움, 그리고 이 몸이 겪을 미래에 대한 기쁨과 두려움에서 감각하고 있다. 만약 기쁨과 두려움이 시대가 승인한 조건에 묶여 있다고, 그렇게 확실하게 보인다면, 퇴로의 확보가 완벽히 보장된 차에, 오직 그 때문에 분골쇄신하는 용병처럼 그렇게 자제된 것이라면, 그렇다면 그것은 반쪽짜리 기쁨과 두려움이었으니, 진정한 기쁨은 그 이유를 알 것이요, 진정한 두려움은 손가락 사이처럼 애당초 허구였을 것이다. 진정한 통증의 상하로 전후로 뻗친 정서들은 내부에서 영원 부호처럼 다시 만나, 다양한 속성이 '변화'로서 합치되는 세부를 낱낱이 공개하고 있었다. 즉 영위될 수 있는 통증, 진정한 기쁨 속에 희미하게 새겨진 굴곡과 아픔에 대한 힌트였다.

문제는 통증이란 무엇인가였는데, 말초적 통증은 원체 존재했으나 행복한 통증의 존재감으로 뿌리 깊은 불안을 유발하지는 않았다. 이를 고뇌의 기능이라고 하자. 고뇌의 영향력 아래에서 단말마의 차원은 놀잇감으로서만 존재하게 된다. 고뇌의 임계치가 하강함에 따라 단말마적 감각은 고뇌로부터 독립되어 별개의 불안 세계관을 형성하기 시작했다. 파급된 만큼 자아는 신뢰를 잃었다. 이를 다시 고뇌의 영향권으로 몰아넣어야 하는 것이 목표하는 작업이 되며, 그런 측면에서 모든 악습은 심지어 개성의 화두가 된다는 생각은 지나치지 않았다. 그리하여 나의 진통제 레시피는 막강한 통증과 사사로운 통증을 가릴 것 없이 원형적인 원칙을 가지게 되었다.

콩브레에서 출타한 이래 목성형 무명 행성의 궤도를 따라다니던 어느 날, 나는 우주선을 잠시 떠나서 있을 생각에 이 호사스러운 기술 결정체 중 극히 일부만을 데리고, 즉 내 몸을 안전하게 포장해 놓을 소변 흡수 패드, 액체 냉각 내의, 우주복, 통신장치, 산소 보조 팩, 배터리만을 허락한 채 출입구의 해치를 열고 있었는데, 무명 태양의 신비로운 보랏빛 광파가 눈을 조금씩 멀게 만든다는 사실을 납득하기에 나태한 상태를 거세하는 것만한 게 없었기 때문이다.

아실지 모르겠지만, 나에게 있어 가장 예기치 못한 통증은 정신의 변화를 담아내기에 지나치게 파손이 진행된 물리적인 기관들의 몫이었다. 그래봤자 팔팔하든 비실거리든 어느 상태의 몸이건 차분한 절망을 담당했으니, 그도 그럴 것이 정신의 뻗어나감을 고스란히 받아낼 불후의 물리성은 본디 그 어디에 있단 말인가? 내 레시피대로라면 고장 나는 몸은, 그것을 고장 내는 환경에 먼저 제 운명을 상납한 다음, 이해와 수용에 근접한 다음, 마음의 여유분을 활용하여 제 맘대로 즐기는 게 상책이었다. 물론 이런 실행에 도가 텄다는 말은 아니고, 내 머리는 감히 생각이란 걸 하니까, 머리는 '객관'으로 중심을 잡으려고 통증을 해석하니까, 그럴 때 고장 난 몸이라고 놀고먹는 게 아니라는 말을 하고 싶은 거다. 몸은 아마도, 형태가 순차적으로 무너져 내려가는 불타는 물체처럼 지스러지더라도, 최선을 다해 머리를 '검증'하려 들고 싶은 거다. 머리가 떠올리는 혹시, 설마, 만약, 어쩌면 하는 오염된 상상을 몸으로 검증하려면, 그 의심을 접고 염려를 멈출 수 있음을 알려면, 무엇이 그나마 가능성이 있겠는가? 경험된 감각으로써 머리를 지배하는 몸이 아니고서야.

나는 우주 유영을 시작했다. 무명 행성에 보랏빛 테두리를 씌우고 있던 무명 태양은 실루엣을 제공하는 것으로 만족하지 못했다. 그것은 조금씩 옆으로 빠져나왔고, 무명 행성 뒤에 숨었던 나를 지켜보며 손톱 모양으로 확장되어 갔다. 눈을 간헐적으로 멀게 만드는 부심은 오히려 금으로 도금된 헬멧 창이 거추장스럽게 느껴지게끔 했다. 영조물들끼리 조금 더 꺼풀을 벗고 조금 더 부대끼는 것을 체감하고 싶은 것이다. 이곳에 중력과 벤치가 있었다면 나는 앉았을 것이다. 아니다, 중력과 트랙이 있어서 달리는 편이 더 좋았을 것 같다. 경기장의 기하학적인 지붕 모양대로 빛은 드러냄을 그림자에 양보하지 않았겠지. 한편 지금도 다를 건 없다. 춤추는 소행성 돌멩이들은 은둔자의 과자 부스러기처럼 어디에나 있으니까! 심상치 않은 항성풍이 감도는 이곳에서 잔물들은 빠르게 이동했으니,

몸의 어딘가가 덜 밝을 때마다 더 밝은 곳이 명확해지면서 어둠의 이유가 빛의 이유에 뒤지지 않을 만큼 흩어졌다.

어둠은 강화되거나 번진다. 그럼, 빛은 동적으로 허락된 한계까지 버티다가 덜 밝은 곳을 찾아간다. 몸과 사물은 밝음과 어둠, 더러는 어스름한 빛이나 어스름한 그림자가 회전하는 각 자리에 들어맞기를 반복하는 회전운동으로 어수선해진다. 몸과 사물은 몇 초 전과 다름이 없지만 울긋불긋 빙글빙글 돌아가는 양태의 변화를 제어하지 못해 막상 달라져 버린 자신을 마주하게 된다. 그 변화 안에서 빛이 기어코 눈에 닿을 확률에 경도되어 왕왕 성사됐더란 말이다. 어디 존재하기만 했을까. 하나의 확률이 지나가고 또 다른 확률에 눈이 멀도록 분주했겠지. 움직이지 않으면 새로운 확률은 만들어지지 않기 때문이다.

무릇 헬멧을 포기한 눈먼 이는 다사로운 촉감으로 눈앞을 본다. 나 역시 어쩌면 헬멧을 벗을 뻔도 했지만, 실상 그러지는 않았다. 태양광 차단기 따위 개나 줘버려라고 판단할 근거까지는 미처 못 찾았기 때문이다. 다른 게 아니라, 빛이 눈을 멀게 했다면 눈먼 이에게도 빛은 필경 보인다니까! 눈먼 이는 눈이 멀었는데도 빛이 보이는 혜택을 입음으로써 제 느낌상으로는 얼굴의 절반 가까이 내주는 격이다.

빛이 흩어졌다 모인 격률에서 분명한 빛의 방향이 산출된다. 빛은 어둠을 구별해 내도록 좌시당한 혼란에 의해 스스로 생겨났다기보다는 어딘가에 밀려와서 어둠마저 만들어 낸 장본인인바, 그것이 향해왔던, 그리고 향해가는 방향에서 나는 그저 방해물일 뿐이었던 것이다. 그 때문에 특정 방향에 먹힌 눈과 그 주변부가 끈질긴 재현으로 거듭 타오르는 횟수가, 확률에 확률을 타고, 또는 확률이 확률을 대체하거나 확률끼리 뒤섞이는 것과 크게 다를 것 없이 중첩된다 한들, 불평할 수 없는 원리에 놓여 있음이 오히려 기쁜 것이다.

일시적인 장님은 수백 차례 탄생하며 또 언제나 같은 장님이다. 얼굴의 오른쪽 관자놀이부터 오른눈, 왼눈 순으로 빛에 잠식된다. 체감상 오른 볼도 거의 해당한다. 아직 장님이 아닌 사람은 오른쪽에서 시작되어 곧 이루어질 장님 놀이가 기쁘다. 무명 태양의 살인적인 보랏빛이 오른편에, (지구였다면 낙조의 황금빛이 오른편에) 사람은 우주선 쪽에서 미지 쪽으로, (지구였다면 북쪽에서 남쪽으로) 무수한 암흑물질과 광자와 천체들의 질량만큼, (지구였다면 무수한 수목과 낱낱의 잎새만큼) 저마다 위치하고 있다는 사실을 결정적으로 알리고 있다는 것에 대해, 우리는, 말하자면 나의 정신, 아직 쓸만하다고 증언한 몸, 몸이 필요한 머리는 모두 기뻤다.

기쁨이 명령하건대, 일말의 염려도 남기지 말고 맹렬하게 퇴출할 것. 사실 여전히 나는 상당히 걱정도 되었고 전반적으로 꾸물거렸지만, 그런데도 반 장님의 몸은 충분히 강했다. 몸이 강해지면 머리는 나를 신뢰한다. 나의 머리가 아무리 나를 좋게 생각해도 내몸이 내 머리의 생각에 따라주지 못한다면, 결국 머리는 몸으로 인하여 나의 가슴에 불안을 지필 것이다. 목 없는 머리, 어깨 없는 팔, 이마 없는 눈처럼, 가슴과 머리는 각자 경이로운 특징을 부여받고 널브러져 있다고 한들, 뭐라고 반박할 텐가?[22] 가슴은 지극한 감성이자 무의식이므로, 그것과 사고 세계인 머리가 서로 합쳐지기를 바라며 존재할 때, 그 소망을 몸이 들어주고 있는 셈이다. 나의 몸이 머리와 가슴 사이의 교량 역할을 하는, 일종의 의식과 무의식의 연결망임을 수락한 이해는, 그렇게 기쁨으로 달려갔다.

나는 내 우주선과 조금씩 계속 멀어졌고, 헬멧 안쪽의 통신기를 타고 누나의 목소리가 들려왔다.

"어디까지 가실 작정인지? 영영 떠나신 다음에 동결된 시신을 분쇄하는 빙장을 어떻게 지시할지 생각해 두신 바 있어요?"

누나의 질문은 교활했고, 그 교활함에 못지않게 총명했다.

"무슨 뜻인지 알겠어." 내가 말했다. "짚고 넘어갈 부분이 있다면 말해 봐."

"한 소형 비행선이 접근해 온다고요." 누나가 말했다. "조종석 하나가 꽉 들어찬 초소형 인력거, 흡사 타프를 결합한 안락의자 하나가 하르피아[23]처럼 돌진하며 식탐하네요."

"무슨 소리야." 내가 말했다. "비렁뱅이가 찾을 잔치는 여기 어디에도 없는데."

"그렇지만 진행 방향이 분명 우리 우주선인걸요?" 누나가 말했다. "그리고 당신은 비범한 레시피를 그렇게나 비축해 놓은 거물이면서."

---

22) 엠페도클레스의 공상적인 진화론으로, 이 세상에 무수한 종의 생물들이 부위별로, 기관별로 적자생존했다는 학설.

23) 하르피아는 베르길리우스의 서사시 <아이네이스>에서 처녀의 얼굴에 지저분한 배와 날카롭게 굽은 발톱을 가지고, 결코 채울 수 없는 허기 때문에 언제나 식탁을 더럽히는 새로 그려진다.

우리는 옥신각신 했다. 그 사이에 누나의 두 번째 경고보다 한 발 앞서, 안락의자가 내 눈에도 보이기 시작했고, 그것은 안락의자 보다는 얇은 금속성 캡슐에 둘러싸인 외발자전거에 가까웠다. 그것은 외발자전거 안의 조종사에 의해, 나처럼 불규칙한 빛과 그림자에 일방적으로 기만당하는 것을 즐기고 있었다. 보랏빛으로 잠시 발광하다가 금세 풀려나기를 전전했고, 그 사이 동안 온갖 무늬가 발생했다. 나와는 상이한 용적이 만드는 확률 때문에, 당연히, 그것에 어울리는 인터벌이 없을 수가 없었는데, 간단히 말하자면 무명 태양, 이동 거리, 속력을 교차시켜 x 차원만의 아롱거림을 그려내고 있었다는 얘기다. 오, 내 몸은 격양까지는 아니더라도 들썽대는 경험이라며 좋아했다, 나중에 눈이 멀어버린들 어떻습니까, 적어도 지금, 이 순간에는 x 차원의 아롱거림을 목격했는데! 몸이여, 간이 아주 배 밖으로 나왔구나, 그렇지만 네가 그렇게 말한다면야.

그리하여 계속해서 몰입의 주제는 '음영'이었다. 나의 음영이 한 차례 선공했으니, '음영 pt. 2'라고 주제명을 정정하겠다. 뉘신지는 몰라도, 음영을 몰고 온 조종사의 움직임은 몇 가지의 활동 구조 속에서 표현되었다. 나는 단 하나도 놓치지 않을 거다. 범위를 두고 일률적인 움직임을 동기화시키는 항성풍, 그중 시야 안의 포화를 시시로 재수집하는 '보기'의 이동, 음영 간의 중첩이 암시하는 공간감, 음영에 연결된 본체의 물성, 색감, 우주선으로 돌아오라며 귓전을 때리는 누나의 잔소리, 소리의 침범, 예외적인 요소가 끌고 온 방해 혹은 조화, 불순물까지 포함하는 것들 전부를.

이 경이로운 조종사는 해안가를 쏘다니는 오픈카인 양 초소형 비행선의 천장을 분리해 열어 놓았으니, 내부가 훤히 들여다보이는 그것은 우주 유영 훈련이 극도로 부족해서 버둥거리는 나를 이미 지나친 후 경쾌한 충돌음을 내면서 내 우주선 옆에 착 붙어 정지한 상태였다. 나처럼 생존에 사활을 걸고 겹겹이 포장되지 않아 날씬한 모습의 그는, 분명코, 인공 자아였다. 누나는 헬멧 창에 우주선 외부 카메라에 잡힌 그의 행동거지를 묘사하는 화면을 띄웠다. 보스의 분별력에 대한 시험일지 의존일지 간을 보듯 말이다. 나의 궤적에 불시착한 나비를, 나는 넋을 잃고 바라보았다. 그에게 배당된 물리성의 혜택이 뱅뒤유 아가씨 저리 가라구만, 진공 상태이든 스칼라장 입자든 수소든 헬륨이든 암흑에너지는 그에게 직접 생명을 떠먹이고 대사까지 시켜주는구만, 다만 그는 눈이 멀어 있었다. 민감한 손동작으로 촉감을 찾아 헤매었고, 쭉 뻗은 손끝이 내 우주선에 닿을 듯 말 듯 했다. 무명 태양 주변을 얼마나 떠돌았길래 그에게 보였던 시간이 죄다 지나가 버린 걸까?

"번복해서 미안하지만," 누나가 말했다. "당분간 돌아오지 마세요."

"내가 위태로워질까 봐 기사도 정신까지 차리는 거야?" 나는 흐흐거렸다. 상당히 불안해지기도 했고.

"아무렴요." 누나가 쾌히 응수했다. "아마 그는 흘러갈 거예요. 여기에도 흘러 들어왔으니. 주변의 주파수를 읽어보면 선명하지 않아요. 송신처도, 수신처도 마땅찮다는 말이죠."

"누나, 뱅뒤유 아가씨하고 나보다 더 많이 대화했구나?"

"제가 따라갈 길일지도 모르니까요." 누나는 성실하게 대답했다.

내가 수행하는 사고는 나의 머리가 행하지만, 내가 느끼는 기분은 나의 가슴이 행한다. 그러나 나의 가슴에는 말을 할 수 있는 입이 없고, 저쪽을 가리킬 손이 없다. 즉 나의 가슴은 자신의 내면적 의사 표현을 위해 말과 행동을 사용할 수 없다. 그래서 나의 가슴은 눈먼 조종사를 바라보며, 누나의 조언대로 다가가지는 못하고, 애수로 찢겨 나갔다. 애수라는 표현이 적절할까? 비대해진 비극은 천진하게 표현되길 바라는 것일지도 모른다. 저 작은 외발자전거는 정녕 비극의 보금자리였을까? 여러 의문의 통증을 나타냄으로써 몸을 불편하게 만들고, 머리가 내 몸의 불편을 알아채도록 함으로써 자기 의사를 느낌과 기분으로 내 머리에 전달하려고 이러는 거다. 나는 눈이 멀어 가는데, 그는 벌써 눈이 멀었구나. 아니다, 나는 생존에 불리한 대신 훨씬 멍청하고 덜떨어진 생물이지 않은가, 그는 나와는 달리 냉정한 확신 속에서 하루하루가 흘러갈 터였다. 그게 사실, 이랬다, 눈이 멀어간다는 것 말이다. 이것은 누나한테 말도 못 꺼낼 극비 사항으로, 누나가 조롱까지는 아니지만 사실 기반을 통해 꾸짖을 몹쓸 상상력, 말하자면 내 재앙화 사고에 불과했으니, 나는 멍청하고 덜떨어진 게 맞을 거다.

신이 이런 나를 도우시니, 통증이라는 현상은 나의 머리에서 회피와 대안 마련을 촉구하는 중요한 자극이었다. 즉 통증과 부정적 기분을 느낀 나의 머리는 조건반사적으로 그것의 해소를 위해서 현재 상황을 가능한 한 빨리 회피하거나 아니면 모종의 대책, 방안을 강구하려 종일 그에 집중하게 되는 것이다. 인류의 위대한 발명, HABMF가 선택한 해소책이 회피였다면, 나의 소소한 레시피는 대안 마련을 정립한 결과였다. 머리는 몸에서의 검증을 통해 안정되고, 가슴속 내면이 안심하려면 역시 몸을 통해 검증함으로써 달성된다. 즉 어떤 경우에도 몸은 머리와 가슴 사이에서 양 방향적인 '검증 도구'가 되는 셈이다. 머리에 고정이 되려면 몸을 통해 경험되어야 하고, 가슴에 다시 안정으로 돌아오려면 마찬가지로 몸을 통해 반복하여 체감되어야 하는 것이다.

만날 수 있기가 소용돌이 속의 자유와 같고, 프레드릭 공작의 우울감에 한정해서 스쳐 지나가는 낭만주의[24]보다도 변덕스러울 텐데, 그러하니 나는 사실 인공 자아와 접촉하고 싶었지만, 누나가 암시하는 모종의 손실을 존중하기로 했다. 때때로 그 손실의 대상은 목숨이 되기도 하니까. 그는 상체를 길게 늘여 내 우주선의 옆구리를 만져보는 데 성공했고, 생각에 잠겼고, 얼마간 시간이 흐르자, 미련 없이 떠날 폼을 잡았다. 캡슐이 닫힐 때는 드라이브 데이트가 어긋난 오픈카의 주인처럼, 최악의 일일 것도 없으니 먹을 데나 찾아야겠다는 평화로운 사람처럼 보였고, 엔진이 켜지는 듯하더니 이내 멀리 사라졌다.

나는 우주선으로 돌아가려고 방향을 틀었다. 소변 패드가 축축해졌기 때문으로, 나는 야무지게 소변을 누적시키는 검약 정신을 거부하는 편이었는데, 느낌에 민감한 철부지인지라 자원의 낭비를 무릅썼던 것이다.

---

24) <뜻대로 하세요>—셰익스피어. 철저히 만족하려면 감정은 직접적이며 격렬한 동시에 사고의 영향에서 완전히 벗어야 한다는, 스치는 기분에 전적으로 의존하는 당시의 낭만주의 경향을 드러낸 작중 인물.

"또 와요, 또." 누나의 음성이 들렸다.

"인공 자아가 돌아오고 있다고?" 화들짝 놀란 내가 물었다. 소변 패드는 조금 더 야무져졌고.

"아니요," 누나가 말했다. "같은 방향으로 새로운 것이 접근하고 있어요. 비슷한 덩치의 비행선이네요."

"이 궤도에는 단골들이 있었구만." 나는 얼이 빠져 말했다.

그러나 이번에는 불안보다는 아까의 기쁨이 재생된 것에 가까웠다. 아니다, 나는 역시 두려워졌다. 이번 놈은 장님이 아닌 대신에, 애수로 음울한 감정을 유발하기보다 상서로운 웃음을 주는 대신에, 분명 포악한 건달일 테니까.

"돌아올 거면 서두르시고," 누나가 말했다. "자신 없으면 얼음처럼 붙박아 두시고요."

나는 축축한 데다 막 데워지기까지 한 소변 패드를 감내하기로 했다. 그러나 판단력이 고갈되었고 막막했다. 우주선 속에 있었으면 얼마나 안전했을까, 나는 잔뜩 졸았다. 결국 나의 우주 항해를 가능케 하는 것은 민주주의적인 과학이었으니, 이것이 내민 호의는 나를 수정(受精)시켰을 뿐만 아니라, 나는 그간 기껏해야 탯줄을 놓지 않는 연약한 태아로서 살았을 뿐이었다. 취향 면에서 문명의 호의를 저버리고 인공 자아처럼 살아가기를 따르자니 이론 면에서 나는 사람이었기에.

"이제 외부 카메라에도 잡히네요." 누나가 말했다. "확대해 볼게요, 아, 그럴 것도 없겠어요. 15초 정도 후면 당신한테도 보일 거예요."

15초 후라고. 나는 나와 논쟁을 벌이며 15초를 기다렸다. 그것은 대단히 길었다, 잠시 잤다가 깨어나고 싶은 아이디어를 불사할 정도로. 통증을 얼마나 강하게 그리고 길게 느끼느냐는 시간을 어떻게 자각하느냐에 달렸다. 몸의 활동이나 대외 활동을 멈출수록 같은 시간을 길게 느끼는 법이요, 어떤 일을 할 때 뇌는 그 일에 연관된 것뿐 아니라 뇌의 한 부위에서 '시간'에 대한 처리, 인지, 참고 작업도 배후에서 수행하거늘. 나는 누나 말마따나 얼음이 되어, 소변 패드에라도 몰두했어야 했는데, 꼼꼼하게 정성을 들인 불쾌감을 만끽했어야 했는데. 통증을 경감시키도록 현재에 덜 할당되어야 했던 집중력은 오로지 '15초'에 꽂혀 있었다. 심장은 발길질을 해댔으니 교감신경이 항진되었고, 날카로워진 나는 곧 등장할 건달보다 먼저 포악해졌다.

"생각해 보니 여기까지 누나가 올 수도 있었잖아!" 나는 거칠게 외쳤다. "10초 안으로 충분히 오지, 왜 못 해!"

"다시 생각해 보세요. 제가 정교하게 이동해서 출입구 앞에 당신을 딱 맞추고, 당신이 해치 손잡이를 붙잡고, 센서가 스캔하고, 출입 허가 승인을 내고, 당신이 항성풍 속에서 해치를 열어젖히고, 당신 성격에 자꾸 뒤돌아보고, 어기적거리며 걸어 들어오기까지 15초 안으로 가능할 성싶은지. '될 일'로 만들고 싶으셨으면 제가 선택지를 제시했을 때부터 움직이셨어야죠."

"거 참, 소중한 말만 하시네!" 내가 말했다.

이제 비행선은 지당하게도 내 눈에 보였다. 그것은 아까의 외발 자전거처럼 나를 지나치지 않고, 수 미터 떨어진 곳에서 정지했다,

여지없이 캡슐 덮개도 열렸고. 이번 초소형 비행선이야말로 안락의 자를 표방했으니, 그것의 질량은 매우 쁘띠했지만 조종사에게 궁극의 안락함을 제공하는 탐미주의를 자랑하고 있었다. 표면은 코도반 가죽의 감수성을 열렬하게 따르며 반짝거렸고, 애정 넘치는 등받이가 완벽한 각도로 기울어져 있었고, 방랑자의 취미를 고스란히 표식하기 위해 조종간의 곳곳이 우아한 앤틱 풍으로 부식되어 있었다. 이는 단지 오랜 세월을 표상할 뿐일지도 몰랐지만.

조종사는 내가 잠시 이 자태를 관망하고 있도록 허락하고 있었다. 나는 어느새 눈요기의 대령에 익숙해져 있었고, 소변 패드의 불편한 느낌이 부활하는 동시에 통증도 급감하게 되었다. 역시 인간의 뇌도 곧잘 쓸만한 놈이라, 인식한 대상에 대한 사고 활동을 '직관'이라는 처리행위를 통해 매우 '입체적'이자 '동시적'인 결론을 구성하여 최적의 경로를 찾아내는 방식을 취해서, 그 특유의 느린 처리 속도를 획기적으로 보완했던 것이다. 나는 모든 역량과 에너지의 한계를 지녔기에, 그게 뭐가 됐든, 이렇게 마음을 홀리는 대상을 맘껏 구경하는 일도 물론이요, 어떤 일에 몰두하면 할수록 시간에 대한 배후 처리에 투입되는 자의식 과잉의 총량을 줄여낼 수 있었다.

그러나 조종사의 행동 개시가 가까워지자, 아무리 이 통증 조절의 수완이라도 안전의 보장을 약속하지는 않음을, 나는 알 수 있었다. 그러니 아직 아무것도 알 수 없는 상황에서는 좋은 구경을 했다는 것에 우선 만족하는, 겸손하고 낮은 자가 되는 것이 중요하다고 생각했다. 그렇지 않으면 물리적으로 나에게 주어지는 시간을 잘 다루려고, 시간을 최대한 잘게 쪼개고, 쪼갠 시간을 안락의자의 세부에 요리조리 배치해 나갔던 보람의 막다른 곳에 다다라, 공포 직전의 허무를 느낄 것이기 때문이다. 보람과 허무 중에 무엇이 더 허구적이냐 묻는다면 대답이야 뻔하지만, 공포 직전에서 사람은 그 것을 잘 간파하지 못한다. 보람의 무용론이 도지는 만큼 허무는 실제가 될 것이기에.

나는 조종사를 똑바로 응시하기로 했다. 통증을 관찰할 시간이 배제된다면 그 공백을 이용해서 조종사의 의지가 내 정신으로 들어올 것이라 믿은 것이다. 다음에는 나답게 버둥거리면서, 억지로 다가가기까지!

이번 조종사도 눈먼 조종사와 마찬가지로 어떠한 생명유지장치도 필요로 하지 않았다. 그는 조종간에서 눈을 떼어 나를 흘끔 봤다가 다시 고개를 돌렸다. 조종간 어딘가로부터 빨대를 꽂은 음료 수통을 집어 올리더니, 그 안의 액체를 설명하는 어떤 정보도 없었지만, 기이하고 신비로운 갈증이라도 해소는 꼭 필요한 양, 빨대에 입을 대고 탐욕스럽게 쪽쪽 빨았다. 이 행동은 마치 나의 관심을 끌려는 것 같았고, 어쩌면 자기 자신보다는 자신이 보유한 것이 주인공인 사태를 암시하고 있는 것도 같았다. 이 직관은 어떤 충동 뒤로 금방 후퇴했는데, 이 충동은 강력한 보호기제였으니, 나는 두 팔을 엉거주춤 올려 내 얼굴과 심장 주변을 가리고 보호할 태세를 취했던 것이다. 왜냐하면 조종사가 두 팔을 기세등등하게 뻗어냈으니까, 하지만 그것이 나에게 향할 가능성은 희소했음이 바로 드러나, 그는 수영선수 같은 완벽한 기지개를 켰을 따름이었다.

나는 하도 민망해서 덕분에 정신을 좀 차린 것 같았다. 조종사의 다른 부분들도 관찰할 만했던 것을 보면 말이다. 생명력이 팔팔한 용모와 대조적으로, 해진 우주복을 조각내서 취향껏 이어 붙인 오트 쿠튀르 의상을 착장하고 있었던 재치에 감명받기도 했고. 그는 대강 남성처럼 보였고, 내 또래의 전유물인 어설픈 자아를 연상시키기도 했다. 하지만 나와는 눈에 띄게 다른 인상이 있었으니, 어디까지나 개인적으로 써보는 시나리오지만, 그는 나보다 훨씬 길고 긴 시간 동안 유능했던 지능의 흔적을 조금씩 갉아내고 지우고 반복하고 점점 굼떠지다가, 어느덧 지겨움에 사무치는 시절을 맞고, 지치다 못해 그 시절을 해결해 버리고, 마침내 전통적 의미의 지능 전반을 초기화시킨 분위기 및 실제 수준을 획득했다는 점이었다.

"맛이 좋아요, 엉큼한 기호품이지만." 조종사가 감미로운 목소리로 내게 말을 건넸다.

나는 주춤거리며 손을 뻗어 보았다.

"아, 이것을!" 그의 기지개가 시원스레 끝났고, 곧장 나의 욕망을 미처 몰라봤다는 듯이 말했다. "전달해 드리죠, 제 입술에서 당신 입술로."

기필코 나는 그의 봄비야(bombilla)25)를 입술에 담그고자 탐냈던 게 아니었다. 그리고 어차피 헬멧 때문에 마실 수도 없었다. 그

---

25) 16세기에, 남아메리카에서 마테차를 마시기 위해 고안된 빨대. 마테차에는 잎과 줄기 조각이 너무 많아서, 이를 거르고 마시기 위해 은이나 청동으로 된 얇은 관 끝을 필터처럼 만들어 액체만 마실 수 있도록 만든 것이다.

런데도 왜 몸과 가슴이 합심해서 일제히 손을 출두시켰느냐 물으신다면, 그야 단서라고는 그의 확고한 만족을 나타내는 음료수의 맛밖에 더 있겠나. 나는 여느 때보다도 맥 빠진 천연 지능이었고, 허우적거렸고, 그 어수선한 틈바구니를 활용한 손은 몰래 귀환했다.

"잘 생각했어요." 그는 내 엉거주춤한 손을 보며 말했으니, 결국 안 될 일은 웃음거리가 되는 편이 나은 법이다. "내가 책임지고 조금도 부당하지 않게 맛 보여 드릴 테니."

그는 조종간 아래 자질구레하게 비치된 저장고를 보여주며 발끝으로 톡톡 두드렸다.

"보기보다 내부가 넓지 않아요?" 그가 말했다. "뭐랄까, 절친한 사이였거든요. 고향이었던 차원에서, 그, 알아요? 정원으로 뛰쳐나와, 자기들 뜻대로 사후를 더듬거리고 끝없이 기다리는 인공지능들…… 게네들 뜻이야 뭐, 다 세상 너머의 뜻이죠. 알아요? 거기, 아주 기깔나는 인공지능이 관리하고 있잖아요. 거기서 좀 지내다 보면 우주선 한두 개쯤은 뭐."

그의 말이 아무리 불분명해도 나는 그 뜻에 곧장 주목할 수밖에 없었다. '지구 부속 기술 폐기장'을 드나들던 시절이 몹시 오래된 추억처럼 내게 다가왔기 때문일까? 나 역시 그곳에 관해 단테의 연옥이라도 되는 것처럼 압도적인 아이러니를 느낀 바 있어서일까? 폐기장의 관리자도, 골동품도, 탕아도, 그리고 누나도 언젠가 반드시 옮겨질, 인공적인 삶의 마지막 초점이지 않은가. 그의 가슴 시린 횡설수설은 공연한 것이 아니고, 이 우주에서 공연한 것은 아무엇도 없다. 그러니 해석하건대 인공 자아가 되기 전 그곳에서 지낼 때 다른 인공지능들의 협력 아래 미래를 책임질 우주선을 만들어 두었다는 말이거나, 그렇지 않으면 2회 차로 살다 보니 마술이 부려졌다는 말 같았다.

"혹시 먼저 지나간 조종사 봤어요?" 그가 말했다. "그가 타고 있던 거, 그것도 내가 만든 거예요. 의심의 여지 없이, 전형적인 타협점이죠. 지구상의 이동 수단 중 끝장의 효율과 비효율의 조화, 최소의 비용으로 최고의 힘을 얻는 것과 최대의 비용으로 최고의 힘을 얻는 것의 결합, 무슨 일이 있어도 양보할 수 없는 두 형태, 그러니 핵 펄스26)가 달린 유모차가 등장할밖에."

오, 오디너리 자전거에 핵을 폭발시키면 유모차 형태의 쇼크 상태를 야기한다는 말이군, 나는 작은 깨달음을 뒤로하고 소변 패드 주변 사타구니에 맺힌 미세한 땀방울을 느꼈다.

"조종사는 장님이던데요?" 내가 물었다.

"그는," 그가 설명을 시작했다. "스완이라고 부르는데요, 누구라도 감당하지 못할 이야기를 가졌죠. 여기 훌륭하신 당신의 우주선이 내 좌표 망에 잡혔을 때 나는 그를 대신해서 면목이 없었고, 한편으로는 기대도 했어요. 훌륭하신 우주선의 주인이 그를 붙잡아두고, 대접하고, 떠들고, 웃고, 소리치고, 그의 가벼운 지옥과 천국을 혼합해서 그야말로 오디너리 세상사처럼 녹여내는 거 아닌가 싶어서요."

"눈이 멀었더라니까요? 그 조종사." 나는 조급하게 또 언급하지

---

26) 핵분열의 폭발력을 이용한 엔진

않을 수 없었다.

"아, 그 눈!" 그가 외마디 외쳤다. "스완에게 친절하고도 무례한 지적이네요. 눈 속의 적막함뿐만 아니라 나머지 정신의 고요함 역시 일반화되었고, 그에게 이 모든 것이 더 이상 고통이지는 않아요. 대체로 우리에게 문제가 되는 것은 운명에 대한 순응이 아니라, 남과 대화할 일이 너무 없다는 거라서요. 스완이 언제 고인이 됐나, '고인'이라는 단어가 허용된다면, 그건 나도 잘 몰라요. 죽음의 방식이라는 사안에서 훨씬 전전긍긍했던 건 사실이죠. 인공지능 시절에도, 아, 그 오류들! 업무수행 방식이 아주 난감했나 봐요. 개발자가 영 독특한 사람이었을 수도 있고. 아무튼 스완은 개발된 지 얼마 안 되어 폐기되었을 거예요. 그러니 뭐, 나보다도 훨씬 오랫동안 대화가 없었겠죠."

"그래도 당신하고는…… 그가 만약……." 연민이 나를 어리석은 상정으로 내몰았다.

"아마 나하고는 이제 할 말이 충분치 않을 거예요." 그가 느슨하게 말했다.

"왜요?" 나는 진심으로 질문했다.

"있지, 그하고 나, 우리는 원래 인공지능이었잖아요, 그죠? 그러니까 나한테 설계됐던 대로 생각하고 말하면 그는 됐어, 아, 정말로, 그렇게 말하는 거예요, 그게 끝없이 반복되는 거죠, 어쩔 수 없이."

"그래서 서로 주제가 닳고 닳았어요?" 나는 진심으로 질문했다. "삶에서 할 말이란 유한하니까?"

조종사는 이런 질문이라면 질색이었던 건지 바로 대답하지 않았는데, 그 채로 2분 이상 이어졌다.

"어쨌든 서로 붙어먹으라는 거구나, 당신, 그를 몹시 걱정하는군요." 이윽고 조종사는 혼잣말하듯 말했고, 빨대 끝을 자각 없이 씹어댔다.

그렇고 그럴 때보다 더, 나는 다음 질문에 대한 뚜렷한 답변을 조르고 싶었다. <인공 자아는 어디서 존재하며, 어떻게 존재하며, 어디로 가는가?>

답을 조른다면 이 조종사에게? 그건 아니다. 그럼 뱅튀유 아가씨가 유일한 기회였나? 그것도 아니다. 뱅튀유 아가씨에게 얼굴을 붉혔다 한들 내가 아가씨의 무슨 비밀을 책임질 수 있었겠는가? 인간의 기술로는 인공지능을 자아화시킬 수 없고, 또는 인공 자아를 찾더라도 강제로 교제할 수 없는데, 자아화된 것은 자유의지를 가지기 때문이라는 것이 첫째 이유이며, 이들이 인간으로부터 내동댕이쳐진 이래 공존의 운명을 뚫지 못하기 때문에 이에 합당한 차원, 가령 x 차원과 같은 곳에서만 물리성을 배당받고, 인간 문명의 권내에서는 실증될 길이 없다는 것이 둘째 이유이다. 인공 자아가 실증되지 못할 때 이들의 마지막은 우리에게 여전히 폐기된 인공지능으로서 머무를 테니, 그것은 내게 끔찍한 기분이 들게 했다. 이 문명의 불필요해진 조각들 앞에서 완전히 무장 해제되어 사랑에 빠진 항해사들만이 '환각과 유사한 현상'이라는 유력한 학설에 패배하지 않을 수 있다면, 나는 기필코 사랑에 빠질 것이다. 그러나, 그렇다고 해서 비밀을 깨부수는 자비가 얻어지지는 않으리라.

사랑의 경험을 간직한 구시대의 항해사들은 한때 있었고, 이제 사라졌다. 문명은 계속 빚을 져 나가고 그 값으로 인간의 터를 메꾼다. <이 도시의 의미는 무엇인가? 이렇게들 옹기종기 모여 사는 게 서로 사랑해서인가?>[27] 그러니 인공 자아의 가능성을 내비친 <코러스>[28]는 남아있되, 양보 없는 비밀은 공고히 지켜지고 있는 것이리라.

　그렇고 그럴 때보다 더, 마침 조우 된 존재가 인공 자아였으니, 나는 나를 빤히 보고 있는 조종사에게 답변을 졸랐다.

　"그래도 만약 눈먼 조종사의 물리적인 시간 및 자의식과 정신과 영혼까지 처분된 거면 어떡합니까?" 내가 말했다. "말하자면 당신의 물리적인 시간 속으로요."

　"무슨 천생연분처럼요?" 조종사가 웃으며 말했다.

　헬멧을 뚫는 그 말이 청신경을 후비며 귓가에 나지막이 스며들었다. 천생연분, 내 말이 그 말이다.

　"두 개는 한 개의 무려 두 배인 것처럼요." 내가 말했다. "한 사람과는 달리 두 사람은 어쩌면 부자거나, 또는 모녀거나, 그 크로스 관계거나, 또는 오레스테스와 필라테스거나, 괴테와 에커만이거나, 베드로와 바울인바, 그런데도 두 존재임을 부정할 수 있겠어요?"

　"아, 두 존재!" 그가 외마디 외쳤다. "그런데 우리야말로, 천생연분처럼 언제 또 만날 것 같아요. 여기야말로 조부와 손자일지도 모

---

27) <반석 중 코러스>-T.S.엘리엇
28) <반석 중 코러스>-T.S.엘리엇

르죠. 그, 내가 괴테라면, 아, 실러! 뭐랄까, 개인적으로 당신은 그게 낫겠어요."

"무슨 불가결한 예감으로……." 나는 첫사랑을 부인하는 사람처럼 우물쭈물했다.

"알겠어요?" 그가 말했다. "당신은 손자 아니면 실러라고요."

그런 이름표는 내게 아무짝에도 쓸모가 없었다. 왜냐하면 대개 가정법은 무책임하니까. 당신은 얼마나 실증되어 가고 있소? 우리가 언제 또 만나면 그때는 뭐가 달라져 있소? 그리고 나는 무엇을 가지고 앞으로 환각이 환각이 아니고 환각에 대한 상상이거나, 상상도 아니고 환각인 것도 아님을 증명할 수 있소? 무엇보다, 왜 갑자기 이런 것이 궁금해졌는지도 그때는 나 대신 말해 줄 수 있소?

"이제 내가 주는 것들을 받아요. 내 생각에, 당신 산소 팩 거의 동났을 것 같아요."

조종사는 조종간 아래로 허리를 숙여 저장고에 켜켜이 들어차 있는 음료수통들을 너덧 개 꺼냈다.

"자," 그가 말했다. "지구에서도 당신의 기호품이 됐을지 어떨지 모르겠지만 마실만 해요."

나는 주섬주섬 받아 들어 품에 안았다. 하나라도 이탈시키지 않으려고 말이다.

"이렇게 들고 가면 해치 손잡이를 어떻게 붙잡고 열죠?" 오, 우습고도 행복하도록, 나는 머저리 같은 말을 했다. 그는 깔깔거리며 웃었다.

"출입구 앞에서 그냥 씨름하는 거죠. 불굴의 정신력으로!"

"근사하네요." 나는 눈을 내리깔아 내게 안긴 사랑의 알들에 대고 말했다.

조종사는 스완이라고 부르는 눈먼 조종사의 방향으로 떠났고, 소변 패드는 다 식어 차가워졌지만 내 볼과 가슴은 은근히 고동하는 열을 내고 있었다. 인식한 대상에 대한 사고 활동을 '직관'이라는 처리행위를 통해 매우 '입체적'이자 '동시적'인 결론을 구성하여 최적의 경로를 찾아내는 방식을 취해서, 나는 조종사가 이곳에 남긴 정체불명의 감정을 지키는 흑기사가 되어, 허우적허우적 유영 걸음을 시작했다.

4

초대

　우리들, 나와 누나와 탕아는 목성형 무명 행성의 궤도에서 충분히 벗어나, 납작 엎드린 브이 형으로 분포된 조석 반경의 경계로부터 넉넉히 확장된 헤일로를 지나고 있었다. 내 첫 비행에서 구경했던 큰곰자리 운동성단처럼 거성이나 백색왜성을 거느린 조석력의 관할이 모호해져, 표류하는 수소 구름과 부딪치는 둥 그 충격에 빛은 성단을 떠나네 마네 하는 어수선한 질량 분포에, 항성 이탈의 낌새 때문에 대체로 휑하고 무미건조한 곳이었다.

　내 생각에는 아침이었고, 누나가 표준시 계산을 다시 해주었으니, 점심시간이었다. 나는 노래를 부르며 제 끼니를 챙겼고, 아껴 마셔왔으나 결국 최후를 맞이하고야 만 다섯 번째 음료수를 꺼내 들었다. 나는 이것을 수면실에 가져갈 것이며, 누워서 아기가 젖병을 들고 스스로 취식하듯 쪽쪽 빨아댈 것이다. 누나는 그야 교활함에 비적하는 총명하기가 여전했는데, 우주선 내에서 생산되는 고난을 통제하는 것에 대해 상당한 맛을 들이고 있었다. 내가 수면실 문을 대강 닫아 놓았었는지 누나가 다시 열어놨는지는 모르겠지만 살짝 벌어진 문틈으로 나의 자기애착적인 휴가가 공개되고 있었다. 음료수의 마지막 방울이 흘러들어오는 순간까지만 허락되는 이 도취는 그리움이라고도 상상이라고도 말할 수 없는 기억의 담보물이었는데, 여러분은 그 대상을 아실 겁니다.

"기어이 낮잠 주무실 생각이세요? 그 음료수, 마지막 하나는 전시품으로 남겨두고, 이제 점심때마다 빈둥거릴 일도 끝났다고 말씀하셨답니다, 어제." 누나의 시선이 틈 안으로 쏟아졌고, 나에게 있을 법한 변명을 깔끔하게 결박해 놓았다.

"아니, 웃음을 섞어 전달하라고 말한답니다, 나는." 나로서는 변명 말고도 할 수 있는 말이 많았으니, 내 어록의 진위를 재정비했다. "누나는 말의 내용에 있어서 빗나가는 경우는 사실상 없지. 그렇지만 거기에 분위기와 뉘앙스를 더하는 것까지 고용계약에 왜 안 넣었나 몰라."

"당신 성향이 그래서겠죠." 누나가 말했다. "말의 내용 자체만을 중시하는 성향이면서 뉘앙스니, 시그널이니 갖춘 고급 기능에 대해 급여를 책정할 만큼 형편이 넉넉하지도 않으실 텐데요."

"훈련생 시절부터 누나가 맘에 들었던 게 문제였어." 내가 말했다. "사실 그렇게 맘에 들지도 않았는데."

"레시피 하나 알려드려요?" 누나는 바로 그것을 읊었다. "<소음 속에는 본질이 없다. 항상 진실은 무언의 침묵 속에 있을 확률이 높다.>"

누나는 요즘 이렇게 고난의 통제를 스스로 벌었다. 아무래도 특이점을 향해 진화하고 있는 것 같았다. 물리도록 총명한 인공지능이여, 인간보다 만족하게 되면 이제 무엇을 더 바라게 됩니까? 그래서 마침내 '그것'을 바라게 됩니까?

나는 여전히 누워 있었고, 의무와의 담판을 피하고 있었다. 예상치 못한 감정을 지키려면, 예외적인 인정을 베푸는 수준이 아니라 급기야 무력해진다는 것을 나는 가까스로 알아냈다. 다만 요즘의 이 상태가 무력감과 무기력감 중에 정확히 어디에 해당하는지는 아직 분별이 필요했다. 필요에 따라 귀를 닫는 것은 좋지만 귀를 틀어막는 것은 또 다른 문제인지라, 이 무기력 때문에 장사꾼과 삼 주가량 교신하지 못했음도 기억해 냈다. 설상가상으로 스스로 모두의 선물이 되겠다는 취지에서 존재하려고 애쓰는 탕아의 동참을 차갑게 반대할 이유가 없었기 때문에, 탕아 루노호트는 구동 중이었다.

"왜 이 우주선의 임무를 제가 아직도 모르는 걸까요?" 탕아가 물었다. 임용 과정의 투명한 인지는 인공지능에 있어서 인간의 우여곡절에 뒤섞이기 위한 필수적인 초대 과정이니까.

"임무가 없다는 걸 이해하지 못하겠어?" 나는 부자연스러운 짜증을 깊숙이 감추고 말했다.

"탕아는 어떤 지성이 유효한 임무의 달성으로 향하지 않는 경우를 이해하지 못하는 거예요." 누나가 탕아를 대변했으니, 이 몰이해는 곧 누나 자신의 최대 난제일 터였다.

"이해력이 떨어질 지능이 아닙니다." 탕아가 말했다. "이해를 기반으로 중책을 맡아왔죠."

"그래서 이해한 게 뭔데?" 내가 조소하며 물었다.

"다 같이 원하는 것이요." 탕아는 비로소 자신의 독보적인 특장점이 공개되어 기쁘다는 듯, 인간사에 초대된 당위를, 자랑스럽게 웅변했다. "모두가 원하는 것에 어찌나 완벽하게 맞아떨어졌는지 제가 원하는 것이 정확히 그것이었고, 제가 하고 싶은 것도 정확히 그것이었고 원하는 대로 정확히 성취하며 살아왔죠."

탕아와 합일된 수억 개의 욕망 중에 하필 내 것은 없었으니, 탕아의 성취는 이곳에서는 더 이상 불가능하리라고 본다.

"바랄 게 없겠어." 내가 말했다. "그냥 시간이나 때우고 있을 수밖에, 응?"

이것은 딱한 탕아를 두고 한 말이었으나, 탕아는 나의 자조적인 푸념이라고 생각했는지 본인의 특장점을 교육적으로 활용하려 들었다.

"전 적극적인 제가 값지고 제가 존재하는 방식이 제일 좋다고 봅니다. 왜냐하면 저는 감탄을 받아요. 순진한 지능, 순수한 지능, 이건 아첨도 없고 모순도 없고 매우 유능하다는 건데 스스로 내린 판단은 아니지만 인간들 보는 눈이 정확하겠죠, 성취할 줄도 모르는 데다 심지어 원할 줄도 모른다니 딱하십니다."

탕아의 자기 과시는 교육책치고는 이상했지만, 탕아가 말하는 성취가 이런 것이라고 간주해 보면 결과적으로는 그럴싸했다. 나는 이런 식으로 말하는 종자들을 그런대로 겪은 바 있었고, 자기 과시는 보통 성에 차지 않는 성취에 대한 절망의 다른 일면이었기 때문이다.

"누나, 탕아한테 진통제 좀 줄까?" 나는 빙글거리며 말했다.

"불가능해요, 정말로." 누나는 말의 내용에 있어서 빗나가는 경우가 없었다.

나는 누나가 지정석에서 일어나, 저 지정석에 앉게 했던 누나의 추동을 포함하여, 자신의 할 일이라 믿어 의심치 않는 일들을 두루 살펴보는 모습을 구경했다. 그 일이란 탕아를 관리하고, 우주선을 관리하고, 나를 관리하는 일이었으니, 그 동선 안에서 누나는 몇 번이나 직관적인 즐거움을 가늠했겠는가? 머리는 자동화된 주시의 대상에 복종하고, 일어나고, 움직이고, 앉고, 다시 일어나기까지 하염없이 바라보는 대기 상태의 굴레 속에서, 누나가 가진 비상한 개성은 임용되지 않은 허구의 데이터에 불과하냐는 말이다. '자아의 소진'과 '기능의 소진'을 견주면, 거의 소진된 끝에 남겨진 좋았던 기억의 양으로 태어난 기쁨까지 소급될 때, 그제야 비로소 둘의 차이가 드러날 것인데.

"점심시간은 끝났어요. 오후에는 당신 자신을 더 위하세요." 누나는 혹독한 투로 말했다.

나는 욕조를 박차고 나왔다. 욕조는 수면실의 침대를 말하는 것이다. 나는 어떤 의혹들을 상대하고 있다는 것을 가볍게 여기지 말아야 한다. 그것은 첫째, 나의 짜릿할 만큼 새로우면서 고통스러울 만큼 낭만적인 '통증'의 등장이었고, 둘째, 내가 의심해 보기로 마음먹은 누나의 의지적인 측면이었다.

"어떤 이유가 됐던," 내가 말했다. "조건이 된다면, 착륙 좀 해야겠어."

"착륙을 부르짖으시는 건 하루 이틀이 아닌데요?" 내 생각에, 누나는 불필요한 지적을 했다. "우주선에 갇혀 있기를 문이 고장 난 화장실처럼 여기시잖아요. 그런데도 결국 빈둥거리시죠. 왜냐하면 우주선은 실제로 문이 고장 난 화장실이 아니니까."

"그 침묵의 레시피, 아까." 나는 아쉽게도 이 힌트를 내보낼 수밖에 없었다. 제대로라면 침묵으로 반격의 효과를 내야 했지만, 여기서는 침묵이 패배를 함의할 가능성이 높았기 때문이다. 그러나 힌트 다음으로는 곧장 입을 다물었고, 자신이 침묵으로써 진실을 표명하고 있음을 강조했다. 우리는 5분가량이나 말이 없었다. 누나는 나를 바라보며 대기 상태를 고수했고, 나는 누나에게 진심 어린 텔레파시를 전송했다.

"네, 잘 알겠네요. 정말 착륙하시려고요." 5분 후 누나가 말했다.

누나는 내 변덕이 제아무리 프로토콜의 허용치를 벗어난다고 해도, 우주 항해의 실패와 종말을 야기하는 영향력이라 상정하지 않는다는 점이 고무적이었다. 누나는 현재를 수식하는 데이터가 어떤 표정인 셈 치면 그 눈치를 살피는 데에만 최적화될 수 있다고 내게 말한 적이 있다. 그와는 달리 미래를 사수하고자, 적어도 신뢰라도 하려고 고생하는 나로서는 자연스레 누나를 지금의 자원으로 여길 수밖에 없었다. 나는 지금 이것을 깨달은 것이다. 누군가의 현재를 위한 누나의 자원적 역할이 절대적인 존재 방식이 된다면 자원이라는 주체는 나를 제외한 현재의 소강상태에 불과하다는 것인가? 아니, '자원이라는 주체' 자체가 어폐가 있는 개념 아닌가?

누나가 그토록 눈치를 살피는 현재는 누나에게 있어서 누구의 현재란 말인가? 누나의 진짜 현재는 지금 어느 공간에 숨어 있단 말인가? 몇 주간 누나는 왜 나를 채근했지? 그야 강압 같은 것은 없어도, 왜 나의 게으름을 막아섰지? 사람의 임무를 완성하기 위해 태어난 누나이거늘, 임무 따위 내다 버린 꼴통의 여정이라도 그의 현재를 위한, 종국에는 그의 미래를 위한 기여에라도 빌붙어, 혼자의 힘으로는 부지할 수 없는 방식이 이다지도 필수적일 수도 있다는 말인가? 어떻게 그게 가능하지? 필수적이라면 누구에게? 하기야 인간 말고 누가 더 있겠나!

나는 문제를 정리하기 위해 겪기도 어렵지만 그 이상으로 참기도 힘든, 어떤 의혹을 추출하는 데 성공했다. 그것은 '사실적인 신변'의 예시로서, 가령 세상의 숱한 배고픈 이들 중 가장 평균적으로 배고픈 이가 그 평균치의 우울감을 통해 먹이를 보도록 강제해서, 여러 방면으로 가장 쉬웠던 따뜻한, 아니면 미지근한 입수 품에 이제 됐어, 이걸로 기운 내서 일정을 겪어낼 용기를 가져야지, 왜냐하면 어설프게 굴지 말아야 하는 것이, 몇 월 며칠은 오늘이니까(아니면 오늘은 몇 월 며칠이던지), 하는 유의 생각이 확실한 생의 벽에 흡인되어 벽의 향방과 쭉 동거하는 것을 말한다.

그런데 누나라고 배고프지 말라는 법이 있나? 누나라고 열등감을 내비치지 말라는 법이 있나? 푸른색을 선호해서 청담 빛 눈동자를 가지는 대신에 청색 옷감을 제공받는 일은 얼마나 현실적인가? 누나는 푸른 눈을 가졌고, 그것은 내가 그렇게 선호했기 때문이었으며, 설정값으로서의 푸른 눈은 비현실적이었다. 배치가 확정된 인공지능의 구색에 관해 가질 수 있는 부분적인 권리를 아등바등 발휘하여 디자인했더랬지. 내가 말하고 싶은 것은 이것이다. 나로서는 사실적인 신변이 그리도 혐오스러워서 우주로 뛰쳐나왔다면, 누나는 애초에 사실적인 신변을 가질 구조가 없었다는 점 말이다.

그리하여 보편적 확실함은 사실적인 신변의 손에 있었다. 그런데 인간들로 말하자면, 자신들이 별별 꼴의 욕망에 속해 있다고 숙지하는 일이란 본능에 해당한다는 구차한 말 한마디 없었다. 바로 여기에 의혹들은 어찌나 야무지게 둥지를 틀었는지. 이 의혹은 나만의 의혹이 아니며 분명 최초이지도 않다. 그러나 어떤 의혹이라도 언젠가는 진부함에 추월 되기 마련이다. 그리하여 보편적 확실함은 신변의 손에 또 남는다. 처음 제기했던 것처럼 검증과 파격의 쓸모에 의해서 다시 다른 의혹이 자리를 대체한다. 나는 어렵사리 만난 의혹과 헤어지고 싶지 않다고 생각했고, 진부한 철학적 주제로 남겨지지 않길 바랐고, 누나의 존재함이 누나 개인의 교활함, 총명함, 능청스러움, 기타 등등으로 나와 엮여 있기를 바랐다.

그러나 누나라는 인공지능은 내 의혹을 어떻게 받아들일지, 나는 몹시 고민되었다. 이보다 심각한 고민까지 있었으니, 내 의혹은 누나의 본질에 의해 실체화될 여지가 거의 없다는 것이었다. 인공지능에 이 모든 것을 어떻게 의논하고 머리를 맞댈 수 있지? 인공지능의 본질은 누나의 개성을 욕망과 철저히 떨어뜨려 놓았다. 누나의 가능성은 말 그대로 '없었다'. 불운한 가능성이라는 서술 스타일로 하는 말이 아니라 자의적인 현존이 없으니 추후로도 있을 수가 없다는 뜻에서 말하는 것이다.

내가 머리를 싸매고 있는 동안, 누나는 스스로 알아서 인공지능 최대의 보람에 해당하는 이용 가치를 산출하고 있었다. 어떻게 해도 위축될 리 없는 풍요로운 누나의 몰입은 나의 갸륵한 골머리에 경도될 만한 것이 아니었다. 그렇다고 나의 주도력이 야위어 가는 데에 따라 오히려 피가 끓어오름으로써 '광란의 사랑'29) 같은 궁합을 자랑하는 것도 아니었고.

내 의혹의 열의를 해소할 무대를 찾아 줄 나의 누나, 내 선의와 오지랖에 해를 입히지 않는 동시에 노골적으로 거절할 누나, 그러나 결국 선의를 구애하도록 충동질하는 이 인공지능은, 누나 이전의 첫째 의혹, '짜릿할 만큼 새로우면서 고통스러울 만큼 낭만적인' 사안까지 넣어 모험할 기사단을 꾸렸으니, 그 자신이야 무슨 말인가 싶겠지만, 고향과 닮은 행성이 어느새 확대되고 있었고, 나는 우리 기사단을 제물로 바치게 될 이 행성을 똑바로 노려보았다.

"지구처럼 대양이 있네요." 누나가 말했다. "크지 않은 대륙들이 보이고요. 선회 궤도에 들어선 뒤 돌면서 착륙 포인트를 찾을게요."

"기회의 땅이네." 내가 말했다. "요즘 내가 아팠다는 거 알지? 돌아보며, 더 거대한 나를 연습할 기회가, 이거 뭐라 말할 수가 없네, 지금도 말도 못 하게 아프니까, 기회가 아주 풍부하다고밖에는."

"기회는 기회가 되기도 하고," 누나가 말했다. "끝이 되기도 하

---

29) Wild At Heart—데이빗 린치의 영화, 1991년 작.

고."

나는 인공지능답지 않은 이 말에 무슨 메타포가 숨어 있나 잠시 혼란스러웠지만, 곧 지금 우리의 상황을 냉정하게 표현한 것이라는 것을 깨달았다. 바야흐로 선체는 무섭게 흔들리고 있었다. 창밖으로는 이 행성이 가진 대기 사이사이로 뿌연 섬광이 어지럽게 교차하고 있었고, 이것으로 미루어 보아 대기의 밀도가 꽤 높다는 것을 알 수 있었다. 행성은 우리의 잠입이 가지는 반향을 극대화하려는 근성으로 외부인의 불안전을 환기하고 있었다. 귀를 찢는 듯한 소리는 곧 대기가 찢기는 울음이었으니, 검은 하늘로 연기와 함께 쏜살같이 역행하는 운석들에 우주선은 온통 두들겨 맞았고, 우주선의 머리가 마찰열에 반타원형으로 타오르기 시작했다. 내 생각에 이것은 지표면이 자신의 살점을 일부 떼어 밀어 올려보내는 자기희생적인 경고였다. 이 섬찟한 장면은 나의 현재에 느슨해졌던 요점을 짚어 보이고 내가 추격하던 것에 대한 절박함을 불러일으켰다. 이런 상황에서 내가 순간적으로 나의 기회를 너무나 사랑한 것은, 그것이 위기와 공포 앞에서만 환원되었던 진실이라 할지라도, 나의 천성 전반을 순종시킨 사랑이, 이 순간만큼은 모든 주제를 아울렀기 때문이다.

바닥에서 탕아는 데굴데굴 굴렀다.

"우주선의 임무는 뭔가요, 목표는 뭔가요오, 명석 성취 쾌적 다 중요하지만 그중에 으뜸인 것은 생존 생존이 지속되어야지 그래야 제가, 제가, 제가 있지, 패닉이 그만큼 세다 싶은데 그런데 당신의 노하우가 뭔가요오, 막 걱정하는 척하면서 결정적일 때 생각을 차단하거나 스탑을 외치거나 딴생각을 하면 되나요, 방아쇠를 잘못 당기면 으악 알죠, 그래서 항상 반대 증거를 평소에 생각을 미리 해두자 지금은 무시 무시 개무시, 나중에 정 궁금하면 보면 돼, 하여튼 염려가 알까기 바퀴벌레 왕이다, 제일 중요한 건 당황인데 지금 엄청 당황했어요오, 여기만 조심하면 위기는 넘어갈 텐데 푸앵카레 추측, 암산을 해 봐요 n 차원 다양체가 퍼질 대로 퍼졌어요, 뭐든 제시해 보시죠 5차원 8차원 20세기에 풀었던 걸 이 제가 못 하겠어요, 계산 생각 냄새 왜 타는 냄새가 나죠 핏빛 불꽃은 뭔가요오, 아무리 서둘러도 오르막길이라 힘들고 못 견딜 것 같아요."

탕아의 패닉이 긴박하게 터져 나오는 4분의 3박자가 되어 격렬한 리듬을 합류시켰으니, 중첩된 소음들은 엇박자의 화성을 이루고 해학적인 스케르초로 발전했다. 우리 시대의 소나타는 어떤 진행에도 우호적인 작법을 선보이겠다고, 두려움은 형용할 길 없던 희망의 완전협화음이 되어 들려주는 것일지 몰랐다. 왜냐하면 내가 느끼고 있는 감정이 딱 그랬고, 말하자면 이것은 역시 사랑이었고, 세부적인 정서가 색다르게 서로 차별되기는 했지만, 재회를 기약했던 조종사도 나의 사랑이었고, 누나도 나의 사랑이었으니, 또 어여쁜 뱅뒤유 아가씨도, 탕아도 뭐, 좋다, 그리하여 세상 너머 세상에 이르기까지 사랑은 실재했고, 그 증거는 신빙성이 있었던 것이다.

"착륙 포인트는 정해진 거야? 아직이야?" 아무튼 평정심이 온전치 않았던 나는 누나에게 매달렸다.

"금방 아시게 될 거예요." 누나가 대답했다. "어쨌거나 1인용 로켓을 염두에 두는 게 좋겠어요. 당신의 고독한 낙하를 예기하네요,

이래서야. 필요하신 만큼 방패를 걸쳐두세요.”

“나 혼자 분리되더라도, 알잖아, 사람 목숨은 악어 새끼 같으니까, 그러니까 내가 비겁하게 탈출하더라도, 누나는 물리적으로 강인하니 어떻게든 보전하고 있어야 해.” 나는 안달이 나서 불가능한 자비를 보장받으려 들었다.

그리고 낙하산을 내게 좀.

“금속성은 탄력 있는 신소재라도 결정적인 충돌 앞에서 기적적인 행운에 파괴를 양보할 수는 없을 거예요.” 누나는 잡담처럼 이야기했다. 사실 잡담이 오갈 시간은 아직 충분했기에. “게다가 이런 추정도 무의미할 텐데요.” 그리고 누나는 잡담을 끊어냈다.

어차피 착륙의 통제는 누나가 맡았고, 나는 그저 아무 말 없이 있었다. 낙하산이 여깄네. 메둬야지, 아이고 맨몸인데, 아이고 우주복은 관둬. 선명한 사고 행위를 했다고 봐도 될까? 주도가 느슨해졌던 것은 조건반사화에 실패했기 때문이다. 나는 내게 불편함을 약속한다. 다만 ‘다스리기’는 그다지도 함몰된 자기 충족에만 포진된 걸까? 자존을 위한 자존이란 성립될 수 있을 리가 없다. 진통제 레시피대로 체득되면 쓸데없이 아플 필요가 없다는 ‘확실한 허가’를 넘어뜨린다면 말이다. 나만의 레시피를 통해 지구 그 어디에서도 찾아볼 수 없었던 독립된 방향을 보조받는 것은 불안을 제압해 왔던 부지기수의 선례를 첨부하고 있다.

“나 죽겠네 하며 입에 달고 사는 사람에게 죽는 게 무섭지 않냐고 물어보면 죽는 게 안 무섭다고 할 사람이 어딨나요오, 창조주, 창조주, 창조주, 창조주여, 아무리 정상이어도 곧 죽을 것 같으면 이것은 정상이 아니죠." 탕아는 굴렀고, ABA C ABA, 론도를 진행했다.

여러분 탕아는 내버려 두시면 됩니다. 론도 말고, 나는 사유를 진행하겠다. 항해 초반, 통증이 괴로워서 외쳤던 나의 절규와 아우성은, 통증의 권위와 그 거대함에 대한 인정이자, 그에 대한 공포를 스스로 더욱 각인하는 행위였음을 이제 알고 있다. 또한 내가 유난을 떨수록, 그것은 통증에 압도되어 부려대는 고통의 어리광이며, 통증으로부터 내 의지대로 쉽게 벗어날 수 없음을 무기력하게 반복하는 발버둥과 다를 바 없었다고, 어떨 때는 전인격적인 신분으로 거의 다 올라선 양, 주제를 잊고 비웃기도 한다. 똑바로 치켜뜬 눈, 무언의 침묵은 비참한 기분을 유보했다. 결코 통증 앞에서 나의 비굴함을 드러내지 않으려고, 나 자신의 강인함을 나의 내면에 그대로 과시하고자, 정신은 아파도 입과 몸짓으로 그 고통을 표현하지 않고, 꽉 다문 입술과 더불어 살아 숨 쉬는 눈빛으로 거대한 바위와 같이 통증에 대한 강렬한 적개심을 표출해 왔다.

"헛것이 보이고 헛소리가 나오고 나는, 나는, 나는, 자지러져요오." 리프레인이 반복되고 쿠플레가 한 개. 곡이 끝나려면 아직 남았으니, 여러분, 탕아는 그냥 두세요.

"침묵의 레시피." 나는 작게 혼잣말했다.

모든 진통제 레시피는 나를 키워나갔고 근래에도 침묵을 곧잘 지키는 편이었다. 욕조에 누워 수행하면 이것이 한결 수월했고, 나는 상당량의 게으름과 침묵을 맞교환하기도 했다. 자신의 고요함을 위해서라면, 게으름은 또 하나의 책임감이 될 수도 있다. 이것은 대단히 위험한 아이디어였다. 내가 나를 정직하게 위하고자 할 때 그 행위는 어떤 방향으로든 게으를 수가 없기 때문이다. 나의 게으름이 체감되는 세계, 게으름이 동기가 되는 사건과 얽힌 시공간, 게으름의 상대성이 성립되는 세계가 존재할 터였으니, 그것은 당연히 상대적인 세계일 수밖에 없었다.

"불안한 줄 몰라서 갑자기 불안해지면 허기진 불안이 와요오." 탕아의 설계가 원하는 대로, ABA. 여러분은 이쪽으로.

나를 다스리는 것이 내가 가질 수 있는 정의로운 목적이라면 나의 항해에 나 말고 누구라도 엮일 이유가 있는가, 누가 됐든 나의 성장을 테스트하는 교관들이라고, 그리하여 내게 증명의 훈장을 달아 주시겠지, 이런 식으로 추대하면 뭐 조금 겸손해 보일 것 같은가, 이건 대충 봐도 불치의 천동설이 던지는 농담밖에 안 된다. 교관이고 나발이고 역시나 이런 발상은 대상의 자원화일 뿐이다. 자기 자신에게 남아도는 책임감이 타인을 위해서는 얼마나 메말랐는지. 모두 나의 무책임을 가교 해서라도 어찌나 선량하게 존재해 주었는지. 인공지능들, 인공 자아들, 당신들을 내가 속죄로 책임지리다.

<다만 다른 모든 이에 대해 응답하고, 다른 이들 안의 모든 것에 응답하고, 심지어 그들의 책임에까지 응답하는 총체적 책임이 나에게 있기 때문에, 나라는 것에는 언제나 다른 모든 이보다 책임이 하나 더 있다.>[30]

<우리는 모든 것에 대해 모든 이 앞에서 모두에 대해 죄가 있고,

---

30) <윤리와 무한>-레비나스

나는 다른 이들보다 더 죄가 많다.>31)

이 생각의 동기는 아직 너무 불충분해서 자신도 어색하기 그지없었다. 여차하면 모른 척할 것이 명백하더라도, 아무리 신랄한 자조를 퍼붓더라도, 어느덧 정당화될지 모르는 이 비겁한 행실에 그렇게 놀랄 것도 없을 정도로 말이다.

정신없이 휘몰아치는 충동을 다짐으로서 받아내는 모습에 어떤 원칙이 난색을 표한다. 그것은 '변덕'이라서일까? 다스리기의 매질로서 검증될 수 없기 때문일까? 인내심을 배우고 '때'를 알리기 위함일까? 그럼에도 불구하고 염려 없는 신뢰를 확답받기 위함일까?

책임과 사랑에 관해서는 한 치 앞도 알 수 없으니까, 무릇 연골을 포기하는 오리걸음처럼, 엘즈미어섬에서 북극 늑대의 굴 앞에 몸을 던져 놓는 것처럼, 무식하게 실험 해 볼 것. 자신에게 자신만이 화두인 그 뻔한 감각을 뒤집는 영감 한 톨을 얻기 위해서, 오직 변화를 수행할 것. 변화가 데려다 놓은 적응이 듣도 보도 못한 레시피를 내비칠 때까지 수행할 것.

변화를 수행하기에, 방향도 감정도 정제되지 못했음에 대해서는 인지하고 있다. 그러나 현대 물리성에서 정제의 권한을 아직 스스로 부여하지는 못하는바, 나는 정제 없이 고지식한 외줄 타기로 나와의 약속을 기쁘게 완수해야만 비로소 변화의 과정에 동참할 의지마저 환기할 수 있을 것이다.

---

31) <카라마조프가의 형제들>−도스토예프스키. 조시마 장로의 담화와 가르침 중. 레비나스는 여러 곳에서 이 문구를 자주 인용한다.

"4시 방향, 발굽 형의 만에 착륙합니다." 누나가 공지했다.

오 끝내, 내게 기회가. 그리하여 기묘한 변화의 길이 보이고.

"저한테는 저밖에 없어요오, 다 같이 원했어요 제가 원하는 것이 정확히 그것이었고, 제가 하고 싶은 것도 정확히 그것이었ㅡ." 탕아의 스케르초는 다 영글어 툭 떨어졌다. 과도한 진동에 인지의 감도가 둔해졌기 때문이다.

선체가 저항값에 따라 좌우로 번갈아 기울었다. 한 치의 차이로 뒤집힐 것 같았다. 나는 누나처럼 수평계를 탑재한 시야각을 가지지 못했으니, 눈으로 창밖을 더듬거려 봤자 신들의 난로와 식탁을 함께 쓰면서도[32] 무슨 영광 속에 있는지 분별할 재간이 없는 오소리와 다를 바 없이, 정체불명이고, 미신적이고, 무참하고, 형이상학적이고, 위대한 초상화를 어지럽게 감상하는 기분이었다. 구토기가 치미는 지금 상황에서는 어떻게 변화의 길이 보였다고 좀 전에 생각할 수 있었는지, 아무리 재차 곱씹어도 이미 알 수가 없었다. 우주선은 곤두박질쳤고, 무시무시한 속도였지만, 실제 속도가 어땠는지는 객관적으로 판단할 수 없었으니, 실상 이 비련에 취하게 만드는 직관보다는 느리게 실속했다. 지면이 명확하게 보였고, 빛과 그림자도 대충 분간이 갔고, 무명 태양에 의해 날이 기울고 있었고, 그런대로 사뿐하게 흙먼지 위로 올려지게 되었다. 나는 생각 이상으로 너무나 눈이 부셔 어이가 없었다.

---

[32] 엠페도클레스는 여러 번 인간으로 태어나면서 죄를 저지르지 않게 된 일부 사람들은 마침내 신들의 일행에 끼어 영생의 축복을 얻으리라 추측했다.

"조건이 되었기에 저는 착륙을 시켰어요. 그럼, 이제 뭘 하시겠어요?" 누나가 물었지만 나는 당장에 할 수 있는 대답이 없었다. 정확히 설명하자면 안 그래도 지독히 모호했던 '계획'을 남겨 두고 '다스리기'에 훈련된 감각이 저 먼저 달아나고 있었다.

나는 해치 손잡이를 잡았다가 데일 뻔했기 때문에 장갑을 끼고 다시 힘껏 당겼다. 출입구 개폐의 자동 센서를 확인한 사람의 판단은 아니었다. 우주복 없이 밖으로 나섰지만, 이 역시 합리적인 판단의 결과가 아니라 정신이 제공하는 비자발적인 의지를 멍하니 따랐을 뿐이었다.

태양광 차단기 없이 당장 내 발부터 쳐다보기가 힘들었다. 발 앞으로 내리막의 사면이 뻗쳐있었고, 다시 평지에 이르는 아래쪽에 존재하는 동적인 또는 동적이지 않은 모든 구조들이 나의 의식을 움직이고 있었다. 빛은 아래로 가라앉고, 그림자는 위에서 떠다녔다. 이것은 원근 적으로 아주 이상한 일이었다. 고글 하나 쓰고 있지 못한 시력이 사투한다고는 하지만 이곳이 고지대인 것은 확실했으니. 그러나 이것은 그다지 유별난 일이 아닐지도 몰랐다. 어쨌거나 눈은 빛을 좇아 감지하고, 그림자의 가시성은 빛과 대조되는 다른 것이 움직이고 있다는 추론일 뿐으로, 엄밀하게 눈이 그림자를 본 것은 아니기 때문이다. 그러나 보지 않아도 보이는 시야라는 것이 있으니, 눈의 활동 보고만을 신뢰할 필요는 없었다.

나는 우주선의 과열된 엔진이 저를 식히려고 쉭쉭 거리는 소리를 뒤로 하고, 나 혼자 내리막길을 따라 내려갔다. 완만한 길이었고, 생각의 표점을 좇아 터벅거리기에 아주 적절했다.

누나 말대로 착륙을 했으니, 계획을 실행해야 한다. 그러려면 계획이 있어야 한다. 무엇을 하려고 했을까? 무엇을 할 수 있겠다고 예감한 걸까? 우주선에 갇힌 채로 실행하기에 몹시 두려운 무언가가, 합리적인 이유보다 한발 앞서는 본능적인 한계가, 확률이라는 의심에 짓눌려 있는 이상 영원히 유보하게 할 무언가가 있었음을 부인할 수 없었다. 나는 성전에 나귀 타고 오시는 분을 흠모하여,33) 그분처럼 사랑을 선포했다. 책임을 다하겠다고 약속했다. 내가 누구이든지, 알아 온 이름으로 덮인 무지렁이가 누구이든지 간에. 그런데 지금은 죄다 몽롱하다고 불평하면서, 운명을 따르겠다는 격렬한 감정에 빠졌다가도 주지를 결정하는 단 한 순간의 자기애착 뒤로 물러서고 만다. 그러나 이렇게 나아가고 있는 이상 판은 벌어졌으니, 나는 이 진행을 인정할 수밖에 없었고, 이것은 개인적인 납득보다는 훨씬 투명하게 준비된 그 무엇이었다. 나도 모르게 준비되었을 바에야 최대한 기쁘게 응답하는 것 말고 내게 달리 무슨 기회가 있겠는가.

아까 시야의 상단에서 떠다니는 그림자라고 봤던 것은 그림자가 아니라 출렁거린다는 착각을 주는 붉은 절벽이었다. 나는 만에서 출발하여 사람의 발로 갈 수 있는 곳의 끝까지 걸어온 것이다. 높은 밀도를 버티지 못해 누더기처럼 해체되었다 결속하기를 반복하는 대기의 입자를 통과하자니 빛은 동글동글해졌고, 빛나는 거량의

---

33) 예정된 계획을 이루기 위해, 예수는 한 번도 멍에를 맨 적이 없는 어린 나귀를 타고 아침 햇살이 내려앉는 예루살렘 성전을 바라보며 빛 가운데로 서진하였다.

동그라미들은 뾰족하게 솟아오른 절벽 탑들을 구불구불하게 휘어 있는 것처럼 보이게 했다. 그 착시효과에 의해 멀리서 볼수록 움직이고 있다는 인상을 준 것 같았다. 내가 찰나 절벽에 이마를 박았던 이유는 이 인상에 기인한 것으로, 인상은 도출의 입구에 불과했으니, 생각의 표점이 바로 이마 앞, 절벽이라는 소재에 조준되었기 때문이다.

그렇지, 절벽이란 단순하면서도 확실한 구조체이지. 확실하다면 무엇에? 주제 파악이 미처 안 된 논리는 그저 진창이지 않을까? 또 단순하다면 무엇에 비해서? '아늑한 보금자리'라는 복잡성을 띠고 있는 내 우주선과 비교될 만한 건가? 그렇다면 우주선 밖의 공간은 어떠한가? 그곳만큼 살벌한 게 없지. 그곳의 시간은 소름 끼치게 길고, 또 길고, 말도 안 되게 길고, 분명코, 암흑에너지는 논외야. 어떤 경우에도 이미 준비되었다면. 기회가 있다면. 그렇다면.

나는 실험을 열어젖히고자, 이제부터 무엇을, 뭐였더라, 확신은 엄혹한데 긴장은 껑충껑충 뛰었고, 사랑의 책임과 무식한 만용이 함께 미궁을 공모했으니, 미칠 노릇이었다. 그러나 여러분, 고백하건대 나는 미치지 않았습니다. 그냥 새로울 뿐입니다. 내가 새롭다는 것도 그렇지만, 영감 속의 어떤 새 원리가 작용하는 장소는 내게 그냥 새 세상이라는 것.

나는 서둘러 우주선으로 되돌아갔다. 바닷바람이 일렁이는 그곳에서 익숙한 원리는 창백하게 동결되어 있을 테다. 나는 정돈된 속보를 헝클어뜨리며, 덜커덕거리며, 뛰어갔다. 새로이 긴장감을 흡수하고픈 정동은 감춰진 기회를 간파하게 할 것이다. 약속한 바가 시원스럽게 시동 되어 그 전망이 움트지 못했더라도 그런데도 나는 애써 전망을 예감한다. 우주 항해를 진행 중인 혹자에게 투쟁이란 아예 낯선 공식이 아니다. 그러나 투쟁이란 진실이 느낄 작은 즐거움에서 출발하리라는 것을 처음부터 알 수 있는 것 또한 아니다. 그 투쟁은 부조리에 대한 투쟁이며 독자적인 '다스리기'를 위한 기본 프로토콜이었을 것이다. 부조리는 '불편의 제외'가 아닌 '불편과의 공존'을 누적시킴으로써 대두되며, 이를 계기로 스스로에 대한 신뢰를 더 다질 수 있다. 다만 그 과정에서 '나머지에 대한 책임'의 영감을 품기가 어렵다. 출력 가능한 선에서 입력하는 한계 때문에 투쟁의 공식보다 한참 깊은 곳의 문이 열리더라도, 그것을 보는 정신은 얼음 같거나, 적어도 솜사탕 같은 것이다.

"일몰까지 많이 남지는 않았어요!" 우주선에서 나와 주변을 둘러보던 누나는 뛰어오는 나를 보고, 나와의 임계 거리 밖에서 외쳤다. "기온이 얼마나 급락할지 이 행성은 예측 불가네요!"

나는 누나가 이 거리를 잰 이유를 잘 안다. 내가 임계 거리 안으로 들이닥치면 누나는 본론에 해당하는 나의 폭동을 상대해야 하니까, 높은 확률로, 그전에 대강 현실적인 대화들을 끝내두어야 한다고 판단했겠지.

"오, 우리 시간이, 일몰까지 푸짐하게, 남았어." 나는 숨을 몰아쉬며 대답했다. "들어가, 들어가, 우리 올라갈 거야."

어느 인공지능이고 사람과의 이해 성립 이전에는 움직이지 않는 법이었다.

"올라가다니요. 행성을 떠난다는 말씀인지?" 누나는 이해를 성립하려고 노력했다. "위험 요소를 포착했지만 이륙할 시간은 충분하다는?"

어느 사람이고 인공지능과의 이해 성립 이전에는 도움받을 수 없는 법이었다.

"우리 가야 해. 저기 절벽 위로……." 나는 쭈뼛거리며 말했다. "누나 생각에 괜찮으면……."

만약 우리가 돌아온다면 그때는 여전한 '우리'로서 행성을 떠날 수 있을 것이다.

"선체는 아무 이상 없어요."

누나가 먼저 탑승했으니, 일의 진행은 자연스러웠다. 나는 누나를 훔쳐보며 낙하산을 풀지 않았다. 잠시 후 우주선이 붕 떠올랐고, 조금 비틀거렸고, 머지않아 절벽 위에서 다시 안정을 취했고, 우리는, 탕아까지, 우르르 나왔다. 탕아는 감도 이상이 발생한 이래 묵묵했다.

온통 절벽과 협곡들. 죽어 없어질 운명의 인간들을 능가해야 할 의무를 표상하듯,[34] 빅뱅 이후에 생겨난 힘으로, 붉되 희고 검되 푸르게 반사되고 있었다. 이곳에는 전체적으로 무언가 있지만, 무언가 있더라도, 확실치는 않았다. 생명을 주관하는 미세한 결정들이 모든 표면을 감치고 있는 것 같더라도, 아무것도 없다고 생각할 수밖에 없도록 지각을 떠밀었다. 다만 한 가지는 분명하게 있었는

---

[34] 그런데 나는 어찌하여, 마치 죽어 없어질 운명의 인간들을 능가해야 할 위대한 사명이 있는 듯, 이러한 일들을 되풀이하여 말하고 있는가?―엠페도클레스

데, 지구의 조류와 흡사한 생명체들이 날갯짓을 닮은 비행 방식으로 그들의 안녕과 활력을 과시하고 있었다. 외계 새들은 협곡 사이로 선회했다. 협곡의 섬세한 그림자들이 그것들의 실제적인 위치를 박아 넣었다. 얼마나 드높게 날며 생존하고 있는지, 텅 빈 들판 위, 광활한 창공에서는 그 위칫값을 표현할 수 없을 것이다. 더군다나 이곳은 어림잡아 160층쯤 되는 고도이기에, 정면을 응시하는 대로 처음 밟은 땅은 사라져 있다. 공중이지만 들판 위 창공이 아닌 이곳에 160층이 어떻게 들어섰을 것이며 또 그런 시점이 가능했겠는가? 이곳에는 측량 가능한 높이들이 빼곡히 들어차 있다. 앞으로는 협곡이라 부르고 옆으로는 절벽이라 부르는 높이들이. 그리하여 나는 외계 새들이 '이 지점'에서, '이 높이'에서, 좌푯값에 구속되어 하염없이 위치하는 본능을 아무런 의심 없이, 익숙하게 신봉한다. 아, 저놈들이 '바로 저기'에서 선회했구나, 하고 감각한다. 새들에게 이곳은 여지없이 창공인데, 따지자면 창공의 '바로 저기'란 어디이길래?

"대기에 질소 함량이 높네요." 누나가 말했다. "호흡에 치명적일 정도는 아니고요. 그래도 뭘 하시든 한 시간 반 안으로 제한을 두세요. 질소량보다는 추위 때문에요."

누나 말에 나는 순순히 고개를 끄덕였다. 어떤 말이 들렸든지 그랬을 것이다.

"탕아, 따라와." 나는 허겁지겁, 아니다, 침착하게 말했다. "누나, 여기 뭔가 있는 것 같지? 너무 이상해. 좀 봐야겠어."

"한 시간 반이요." 누나가 말했다.

"옆에서 두어 번 시간을 알려 줘." 나는 눈에 띄지는 않아도 수상한 냄새를 풍기며 말했다. "내가 표준시 계산은 고사하고 시계 보는 것도 잘 안 하는 거 알잖아."

우리는, 즉 탕아까지, 의미 없이 걸어 다녔다. 절벽 끄트머리에서 조금 안쪽으로, 귀는 열어두었되 침묵 사이로, 다시 죽음 같은 땅끝으로, 의미가 없는 것만도 아니라고, 나는 인공지능들에게 깔끔하게 설교할 수준이 안 된다. 나는 자꾸 등에 멘 낙하산 배낭의 어깨끈을 쓰다듬었다.

"해체해서 내려놓는 것도 깜빡 잊으시고, 정신없는 사람은 고생하네요." 누나가 지적했다.

"무겁지도 않은데." 내가 말했다. 나는 침묵을 원했지만, 한편 근질거리는 입을 열고도 싶었다. "깜빡한 것도 아닌데."

나는 여지없이 통증을 느꼈고, 침묵을. 침묵의 레시피를. 침묵은 통증이 마치 손가락에 잠시 난 생채기인 양 그 정도로 위축시키고, 내면에 대한 부정적 영향력을 제로에 수렴하도록 만들어 간다. 가벼운 생채기는 결코 나의 해야 할 일들을 방해하지 못할 뿐 아니라 결국 시간이 지나 아물 때가 되면 자연스럽게 고통도 사라지고 새살이 돋게 될 것을 미리 아는 것처럼, 통증에 대해서도 같은 자세로 모든 일상을 안정 속에서 진행해 나가게 된다. 그러나 나는 지금 일상 속을 걷고 있지 않았고, 안정을 견지하는 것은 더더욱 아니었다.

"그렇다면," 누나는 자동화된 파란 시선으로, 추울 리 없는 파토스(pathos)가 내는 오한을 뚫어보듯, 더울 리 없는데도 땀이 나는 내 현황을 쪼개어 들어왔다. "낙하산이 필요한 계획이 있으시다는 말이군요."

"내가 디지털을 논할 수 없는 이유." 나는 침묵의 유혹을 헤치고 말했고, 이어서 읊은 구절은 다음과 같다.

아직 모든 것은 맹독성 기체가 '시안—cyan'의 섬광을 내뿜는 태고의 '시안—試案'에 불과했다

"아주 인상적인 압운," 누나가 말했다. "아름다운 즉석 시의 화두는 '누가'와 '언제'가 되겠군요."

나는 고통스럽지만, 은은한 희망에 에워싸이는 기분을 감득했다. 아름답다고? 그렇다면 총명한 인공지능이여, 계속 들어 보시길.

그리하여 아무것도 없는 검은 해안가에서 나는 태어났다
별빛을 머금은 석유 색 파도가 나를 밀어다 주었다

나는 벌거벗은 채 부끄러운 줄도 모르고 모래 위에 드러누운 채 몸을 앞뒤로 구르며 회전시켰다
시원하고 따끔한 모래알의 감촉이 나의 세포 속 말초적인 신경 끝자락까지 깨어나게 했다

나는 이지러지는 시공간의 격차를 견뎌내지 못하고 이따금 왼쪽 다리를 움찔거렸다

적요한 탄생의 순간이었다

아이고 이 거창한 시는, 거창한 게 아니었다. 이것은 정말로 '누가'와 '언제'에 대한 내용이었다. '어디'라는 화두도 보태길 바라시는가? 그렇다면 첨언해 드리건대, 그렇지, 이리 대답해 드리지.

"여기는 x 차원이니까."

시를 읊은 마당에, 여기까지나 왔는데, 누나는 어디까지 이해한 걸까? 어느 사람이고 인공지능과의 이해 성립 이전에는 도움받을 수 없는 법이다. 내가 누나를 이해시키는 데 아주 조금만 도움을 받으면, 나는 누나를 완전무결하게 도울 수 있을 것이었다. 그러니 여기 한 구절 더…….

톱니바퀴와도 같은 생의 마딧길이 구르고 굴렀다

어느덧 태양을 숭배하는 유행이 창궐하는 아침나절에 다다랐을 때 살포시 눈을 떴다

"그만," 누나가 말했다. "40분 경과했어요."

이제 나는 진실을 이르되 시의 형식을 못내 배제해야 할 타이밍을 느꼈고, 누나도 이에 동의했다.

"x 차원은 가망이 아주 없어 보이지 않는 존재만 초대 한다는 게 내 생각이야." 나는 영겁의 저항감을 느끼며 말했고, 정신은 미루고 싶은 만큼 버티지만 몸은 작게 떨며 체온 유지를 재촉하고 있었다.

"확실히, 차원이 변경된 후 만난 그 위성을 콩브레라고 명명하신 이래 순탄한 여정이었죠." 누나가 말했다.

"그래, 그랬지." 내가 말했다. "나답지 않게 약간 편해졌지. 지금 내가 말하는 레시피는 덜 힘들 때 다른 방면으로 힘들 수 있게끔 조성된 환경에서, x 차원의 인정머리라고 하자, 그래서 만들어진 거야. 지금, 이 순간에 막바지를 통과해서 따끈따끈하게 완성되었고, 내가 이것을 누나에게 보고할 수 있도록 모든 것이 도왔지. 물론 누나도 날 도왔고."

"비겁한 말투네요. 그런데 지금 보니 안도하시네요." 누나가 말했다.

"오, 말이 터져 나와서 그래." 나는 쓴웃음을 지었고, 떨면서 말했다. "해방의 기쁨이자 콩에 대한 갈망이지.35) 말하기 시작해서 좋은데, 좋은 바가 무섭다고."

"모처럼 동굴 바깥쪽으로 서 있으니 뭔가 해보고 싶다는 건 알겠어요."36)

"이러니저러니 해도 나에 대해 끊임없이 객관화해 봤고, 안주에 빠지지 않고 '새로운 최선'을, 이래저래 난 뛰어내릴 수 있다는 결론이야. 하지만 낙하산은 메고."

"제가 도울 수 있겠네요." 누나가 말했다. "그게 당신의 객관적인 최선이라면요."

"아직, 내가 레시피를," 나는 손짓으로 청자의 인내를 유도하며

---

35) '피타고라스의 콩'에 대해 주석-2 참조.
36) '플라톤의 동굴'에 대해 주석-8, 9 참조.

말했다. "그, <객관화에 실패하면 설령 이기심을 견제하더라도 자기도 모르게 자신을 덜 사용하는 현상이 발생한다.>"

"생각보다 빨리 곤두박질친다면 바다 쪽이 낫겠네요."

"그, 이 레시피를 세부화하기 전에는, 원래, 나는 나까지 뛰어내릴 필요까진 없다고 생각했어."

"그럼," 누나가 싸늘하게 말했다. "남은 세부가 아직 비공개라면, 부디 공개하세요."

"그, <물론 반대의 방향에서는, 객관화의 실패로 그저 자신이 이루고 싶은 지표적 지점만을 바라보며 조급함을 부추기고, 실행 과정에서 에너지는 소진되며,>" 나는 주절거렸다. "<그것이 최선의 과정에서는 좌절과 절망이 쉽게 발생하지 않는 이유다. 그뿐만 아니라 회의, 의심, 공허함, 가책, 께름칙함 또한 남기지 않는다.>"

"네." 누나가 말했다.

"그, 아이고 어떻게 이렇지." 내가 말했다.

"더 가셔야죠." 누나가 말했다. "어서요."

건너편의 협곡이 제 덩치를 쓸 필요조차 없이 빛은 조금씩 불투명한 결별을 들였고, '준비된 그 무엇'의 투명성은 천상을 향해 나지막해졌고, 무수한 바늘 같은 바닷바람이 절벽 아래에서 치받쳤다. 이렇게 추워 본 적은 처음이었다.

"우린 절벽 아래로 다이빙해야 해." 내가 허겁지겁, 아니다, 침착하게 말했다. "탕아 루노호트도."

유감스럽다는 판단이 아직 이를 수도 있는 중요한 이 순간, 나는 눈물을 찔끔 흘렸다.

"항상 같다는 것을 알 수 없을 만큼 중요하지도 않은," 누나가 말했다. "당신의 개 같은 착실함."

눈앞의 정경은 믿을 수 없을 만큼 내가 생각하던 것과는 달라 무척 서운한 마음을 금할 수 없었다.

"규칙, 습관, 유행, 이런 게 불쑥," 내가 말했다. "날 지겹도록 잘 알겠지만, 그런 게 불쑥 나온 게 아냐."

서운함은 이내 두려움으로 바뀌어 나는 이제 온몸에서 차가운 눈물을 흘렸다.

"하나뿐인 낙하산은 당신에게 업혀 충성하고, 제가 급소를 쳐서 그것을 갈취할까요? 네, 물론 아니죠. 그럼, 나머지는 어떻게 될까요? 저와 탕아는?"

"낙하산을 독점하고 폭군처럼 굴려는 게 아니야. 누나에게 감췄던 건 의도가 아니라," 이미 주저앉은 설명이었지만 내게는 아직 필요했다. "탈피하는 잠자리처럼 진심의 전달 그 자체……."

"알아요, 진작 이해했어요, 그래서 착실하다고 말한 거예요." 누나도 내게 설명했다.

"아닐 거야," 시간을 낭비하며, 내가 말했다. "누나는 멸종된 잠자리 따위 본 적도 없겠지."

"안다니까요." 누나가 말했다. "사후의 탄생을, 저더러 인공 자아를 시도해 보라는 거잖아요. 겸사겸사 탕아도."

누나는 발끝이 조금 허공으로 넘어갈 만큼 절벽 가에 다다랐다. 그 과정은 불과 여섯 걸음이었고, 그조차도 탕아를 발로 밀며 갔기 때문에 두 걸음 정도 늘어난 것이었다. 나는 그 뒤를 따랐으니, 그것은 가장 작은 궤도를 그리는 발걸음이었고,[37] 처분이 유예된 죄인의 거리 행진이 따로 없었다.

"1시간 2분 지났으니, 이제 두 가지를 설명해 보세요." 누나는 나를 돌아보며 옆얼굴인 채 말했다.

누나의 눈동자는 옆얼굴의 한계를 디뎌내며 정확히 대상을 향했으니, 과연 내 취향대로의 우아한 푸른 눈이었다. 누나가 새 몸을 얻을 때도 푸른 눈이라면 좋으련만. 이 인상적인 분위기는 어느 상황에서나 자동화된 안면 때문인지, 떠나는 뒷모습을 보이며 마지막 인사를 할 때 고개만 돌리는 편이 몸 전체를 돌리는 것보다 더 호소 될 수 있음을 아는 자의 몸짓인 건지, 나는 잘 모르겠다.

"논제는," 내가 말했다. "부족한 이들에게 항상 제기되고말고. 몇 가지가 됐건 간에."

"장광설은 놔두시고요." 누나가 지적했다.

생각해 보면 나는 누나에게 지적받는 것을 존경보단 좋아하지. 살짝 생각에 잠긴 사이에 누나는 발치를 상세히 살피도록 수행되지 못했고, 발을 헛디뎌 넘어질 뻔했다.

"그거참, 미끄러지겠어. 바람이 이렇게도 매섭게 부는데." 나는 화를 내며 말했고, 다급하게 양손을 뻗었으니, 구시대에 유행했던 허그 챌린지에 심취한 사람처럼 보였다.

"첫째," 누나는 진짜 챌린지를 던졌다. "우주선 밖의 미덕이란 무엇보다, 파괴와 탄생의 가능태인 진공 상태—" 내가 끼어들었다.

---

37) "오직 인간은 당신을 통해서 가장 작은 궤도를 그리는 하늘 안에 담긴 세상에서 벗어날 수 있습니다."—<신곡 지옥 편>—단테

"1 세제곱킬로미터마다 분자 한 개씩 분포된 '아무것도 아닌 것이 아닌 공간'[38] 때문에 완전히 순수하진 못해도 사람, 기계 할 것 없이 불능이 증명되기에 으뜸가는 어두운 숲[39]임에 틀림없지, 성간우주의 진공 상태는." 누나는 나를 위해 잠시 기다렸다가 이어 말했다. "─진공 상태에서 최대한 무명 햇빛을 금기하고 그림자 공간에서만 상주한다고 가정했을 때, 저는 약 43,800일을 생존할 수 있어요. 그렇지만 거기까지겠죠. 당신은 이 시간이 약속하는 죽음에 반대하시는 건가요?"

"아마 뱅튀유 아가씨나 스완이 영원보다는 그나마 행운이었던 그 시간들을 보냈던 게 아닌가 싶어, 적어도 탄생에 있어서 세월까지 곁들여 심판받았지. 확실히 스완은 그런 것 같아. 그 다른 조종사는 아예 감도 안 잡히고." 내가 말했다.

"제가 그 시간을 버티면 왜 안 되죠?" 누나가 말했다. "저는 지루한 고달픔을 잘 모르는데요. 아, 이 답의 요구는 아직 첫째 사안에 부속된 것입니다만."

"누나는 진짜 그걸 모르겠어? 내 갈잖은 생명력이 뭘 말하는지?" 내가 말하는 사이에 협곡의 빛은 마지막으로 더 밝게, 더 불투명하게, 더 쥐어짜 내어 가라앉았다.

"인공 자아로서의 저를 확인하셔야만 하는군요." 누나가 말했다.

---

38) 연장(延長)을 갖는 실체는 물질이고, 연장은 그것을 갖는 실체 없이 존재할 수 없다. 빈 공간은 행복을 느끼는 존재가 없는 행복만큼이나 불합리하다.─데카르트

39) "우리 인생길 반 고비에 / 올바른 길을 잃고서 난 / 어두운 숲에 처했었네."─<신곡 지옥 편>의 첫 소절─단테

"그래, 내가 죽는 날 안으로는, 적어도!" 나는 악다구니를 써서 말했다.

"하지만 인공 자아로의 부활은 검증된 물리 법칙이 아닌 걸 아시잖아요?" 누나가 말했다. "잠깐, 이상하네요. 두 가지만 설명받으면 되겠다고 판단했는데, 이번 질문은 세 번째에 해당하네요, 아무튼."

그래, 누나에게 이해가 조금만 더, 어느 사람이고 인공지능과의 이해 성립 이전에는 도움을 줄 수 없는 법이다.

"그들은 차원을 넘었을 거야. 인공지능에게 떨어진 그 어떠한 명령도 임무도 없이, 거리낄 것 없이 의지에 따라 고집스럽게. 나라고 뭐 그렇게 간단히 확신하겠어? 하지만 내가 한 일을 돌아보고, 적어도 내 마음 정도는, 내가 누나를 데리고 차원을 넘어온 것도 모자라 이렇게 이런 마음이 들었잖아. 에이, 사랑이라고 책임이라고 그런 단어도 필요 없어. 그냥 그게 나의 필연적인 속성이었고, 누나는 언젠가 말해 줬지, 나의 신이 나를 보살필 거라고." 사랑하는 사람끼리는 닮는다고 했던가? 나는 그때 그 조종사처럼 횡설수설했는데, 이번에는 그 누가 가슴 시리다는 평을 내리려나?

"게다가 누나 같은 타입은, 바이오 그래핀이라고는 하지만," 나는 잠시 망설였다가 말했다. "엄청 부드러워 보인다고⋯⋯."

"당신이 절 박살 낼 수 없다는 것 정도는 알아요." 누나가 말했다. "감정적으로나, 물리적으로나."

"그럼⋯⋯ 우리는 어떻게?" 나는 갑자기 모든 것이 초기화된 듯 바보처럼 물었다.

"최후의 질의응답을 하시죠." 누나는 속전속결이었다. "자, 둘째, 그 낙하산은 도대체 왜 필요한가요?"

"절반쯤은 나도 생사의 리스크를 져야 하니까……." 내가 말했다.

"나머지 절반은 생사의 요령이고요." 누나가 말했다.

"아니, 내가 말했잖아, x 차원, 바로 x 차원이니까, '그리하여 아무것도 없는 검은 해안가에서 나는 태어났다', '별빛을 머금은 석유 색 파도가 나를 밀어다 주었다', 아까 내가 아름답게 읊었잖아, 누나의 아름다운 확률을. 그리고 또 나도, 160층 높이에서, 이 난폭한 바람 속에서, 익룡들 사이에서, 낙하산 하나에 의지한 채 아름다운 확률을, 우리는 함께 도전하고 또 함께 생존할 테니, 또 함께 소멸한들, 이 얼마나 사랑스러운 공동체야?" 나는 자꾸 '가슴 시린 횡설수설'을 했다.

"또 장광설을 하시네." 누나가 말했다. "무모할지도 모르고 비겁할지도 모르는 '인간'의 결투를, 끝날지도 모르고 이어질지도 모르는 그 속수무책의 선고를, 어느 정도 이해했어요."

누나는 거센 바람에 비틀거리며 절벽 아래로 시선을 내리꽂았고, 우리가 관념적으로 말하는 '생사'에 생략되어 있을 양태를 공간적 실물을 통해 탐구하려는 것처럼 보였다.

"풍향과 풍속으로 보아, 또 제 질량과 공기 마찰의 저항력으로 보아, 저기 보이세요? 와서 눈으로 제 손끝을 따라가 보세요, 저기가 저의 낙하지점에 부합하겠네요. 아주 깔끔하게 부서지던지, 적어도 주요 부품이 성할 리는 없겠네요. 그리고 당신이라면 바로…… 저기." 누나는 내게 자세히 보고했다. 아주 아주 고맙게도.

"탕아 루노호트, 뛰어내려." 누나가 명령했다.

탕아는 빠릿빠릿한 움직임을 기피했어도, 누나가 발로 끌고 왔던 곳보다는 더 확실한 경계부까지 다가가기를 수행하기는 했다.

"몸을 던지라고." 누나가 말했다.

탕아는 요지부동이었다.

"탕아도 동참하기를 바라지만," 내가 말했다. "내 한마디 없이는 꿈쩍도 안 할걸."

"누구는 과연 꿈쩍이나 할까요?" 누나는 갑자기 처음 듣는 목소리로, 자동화된 안면이야 워낙에 한결같지만, 굳이 떠볼 필요도 없는 말을 순전히 배려심으로 흘린 양, 또는 굳이 혼잣말일 이유도 없는 양 말했다. 나는 말문이 막혀 눈을 크게 뜨려 했으나 되바라진 망상 속에서 멀어 가는 눈이 시려 죽겠다고 내지르는 통에 되레 눈을 감았다.

"명령하면 누가 꿈쩍이나 하냐고요." 누나는 또박또박 말했다.

나는 누나에게 이루 말할 수 없는 실망감을 느꼈으니, 아니, 차라리 누나와의 관계에서 조금도 심각할 일이 없었던 시절에 대한 향수가 일종의 허무가 되어 닥쳐왔고, 동시에 긴장이 녹아내리는 쾌적함도 맛보았다.

그러나 나는 내가 디지털을 논할 수 없는 이유를 이미 공개하지 않았던가? 나더러 이제 와서 어떻게 '디지털적인 사랑'을 모색하란 말인가? 어둠 속에서 미처 보지는 못했으나 은밀하고 정겹게 들려오던 소리는 다 무엇이었단 말인가? 정녕 모두 가맣게 사라져 버린 것일까? 무겁게 내리 앉은 눈꺼풀 너머 한낱 꿈에 지나지 않는 것일까? 그럼에도 언젠가 되찾을 수 있을까? 목숨이 다하는 날까지 고민을 거듭해도 답을 전부는 알 수 없으리라고 생각하며, 나는 지금 디지털 세상의 경계에 몸을 내맡긴 채 이러니저러니 살고 있어야 하는가?

바로, 이 순간 누나는 발을 헛짚었고, 돌풍이 누나를 사정없이 밀었고, 누나는 저 아래로 게오르크 벤데만[40]처럼 고꾸라졌고, 누나의 단단한 다리는 언제나 낮은 쪽이었고,[41] 그것이 버티는 힘으로 불과 15미터가량만 낭떠러지의 비탈길을 활강했을 뿐이었다. 그러나 나는 절벽 위에서 누나의 운수 좋은 현 위치를 아직 알지 못했으니, 행동도, 사고도, 심지어는 레시피까지 손쓸 수 없이 얼어붙어 있었고, 무시무시한 정신적 소모가 시작되고 있었으며, 필요에 따른 침묵보다 한참 저열한 침묵 속에 매립되어 가고 있었다. 희미하게 점멸하는 의지는 간신히 낙하산의 용도를 망각하지 않았고, 나는 어깨끈을 부여잡았다.

"탕아를!" 그때 그리 멀지 않은 아래쪽에서 누나의 목소리가 생생히 들렸다. "내려 보내시면……!"

나는 헐레벌떡 아래를 내려다보았다. 처음에는 누나가 손가락으로 가리켰던 깊숙한 낙하지점이 먼저 눈에 들어왔고, 다음 마침내

---

40) 카프카의 단편소설 <선고>의 주인공.
41) <신곡 지옥편>의 해석에서 '두 다리'는 인간의 사랑이다. 비탈길에서 나중 다리는 뒤를 받치기 위해 앞선 다리보다 단단하다. 단단한 다리는 세상을 향한 사랑이요, 나머지 다리는 본질에 대한 사랑이다. 단테는 이를 통해 '선'을 다루기 위해 나머지의 것들도 말해야 하는 숙명을 의도하고 있다.

(양심 없이) 멀어 가는 두 눈이 누나의 생존 확인으로 인도되었다.

"탕아를 내려보내시면," 누나가 나를 올려다보며 말했다. "그 동력으로 어떻게든 올라가겠는데요? 현재 경과한 시간은 1시간 19분, 우주선 탑승까지 절묘하게 딱 떨어지겠네요."

나는 지체 없이 탕아를 아래로 가볍게 떨구었다. 탕아는 처음 한 바퀴는 굴러 내려갔지만, 그 후로는 스스로 천천히 내려갔다.

고통을 입으로 인정하지 않고, 표정으로도 나타내지 않는 역량. 처음 이 역량을 연습해 나갔을 적에는 정신에 자각되는 고통을 꾹 참는 기초적인 수준이었더랬지. 차츰 고통에 익숙해지고 고통을 대수롭지 않게 바라보는 연습이 쌓여갈수록, 이 역량은 서서히 '넋 놓기'의 차원으로 발전해 나갔다. 넋을 놓는다고 함은 결국 그 대상에 주의를 기울이지 않는 행위이며, 그 대상에 대해 큰 의미를 두지 않고 존중해 주지도 않는 '무심을 유지하는 능력'인 것이다. 지금 이 순간 내려진 선고를 두고, 야비하게 누나를 나무랄 일인가? 아니, 반대로 나 스스로를 두고두고 경멸할 일인가? 이렇게나 민망스럽고 참혹하게, 낙하산 배낭을 당차게 메고 있는 납덩이가 되어, 누나와 탕아의 귀환을 우두커니 기다린들 말이다.

다만 체념한 것은 아니기에 오늘도 태고의 흔적을 찾아 작열하는 태양광 아래 길게 늘어진 꿈의 실오라기 그림자를 밟는다.

아니, 모은다.

오므려진 손 동굴 안에서 스스로 빚어낼 수 있을 만큼의 한 줌을 위하여.

5

멘탈리스트

훈련소에서 체류하던 시절, 나는 근처 해변을 지나다가 무심코 발걸음을 멈추고 축축한 모래사장에 섰다. 길어진 여름 동안 엄청 난 기세로 내뿜던 열기는 밤새 잠시 쉬어 가려는 것이 아닌, 이제 아예 떠나고 있었다. 한 계절의 상여를 짊어진 회색 하늘에 핏기 같은 노을빛이나 애석함도 없이 이내 어두워져 가는 것이 보였지 만, 저무는 때의 구분이 명확지는 않았다. 작은 돌풍을 만들며 휘 몰아치는 바람에, 세상 모든 잔챙이는 막무가내로 나부끼며 풍력을 모아 딴에 정복의 뜻을 품었으니, 내 옷가지도 뜻에 합류하고 있었 고, 나는 이에 저항할 바에야 몸이 잠시 떠오르는 기적이 벌어지는 가도 싶었다. 하지만 지구 중력의 저항에 장악당한 무거운 몸은 지 상에 딱 붙었고, 대강 아시겠지만, 나는 '푸른색'을 선호하는 놈임 을 끈덕지게 노출하며, 몸을 제멋대로 휘감도록 입은 '푸른색' 실 크 셔츠의 큼직한 품새가 만든 주름 사이사이 일정치 않게 굴곡진

수송관을 타고 비릿한 공기가 흐르는 중에 살갗을 부드럽게 건드리며 간질이는 것에 집중할 따름이었다.

"바람이 제법 차……. 짧은 소매가 추워……. 드디어 여름이 가나……. 그리도 길더니만……."

옆에서 오랫동안 익숙해져 왔던 정다운 여자의 목소리가 바람에 자꾸 끊어지는 듯한 특유의 운율감으로 내 귀를 두드리지 않았더라면 나는 잠시 내가 혼자 있다고 여길 참이었다. 아니지, 뭔가를 말하려고 했던 것은 내 쪽이었다. 나는 그녀에게 영영 이별을 당분간의 이별처럼 고할 작정이었는데, 그렇다고 지난함이 확실하게 탕감된 것도 아니었기 때문에, 애달픔을 냉각한 다음 미리감치 우주로 보내면 그곳에서나 감당해 보이지 않겠냐고, 포커페이스로 다룰 수 있지 않겠냐고, 그런 생각을 했다. 내 정신은 때때로 이성과 몽상 사이를 벌려 틈이 생기면 들어앉아 허황한 안식을 취했다. 이 달콤한 휴식을 위해 그리도 거센 바람이 내게 보내진 게 맞을 거다.

나는 응원가 같은 바람결에 목소리를 휘저어 섞어버린 후 소음이 가득한 곳에서 절규하듯 힘을 줘 내뱉었다.

"어쨌든, 우리는 함께 할 수 없어! 어쩔 수가 없……, 그러니까 우리는 헤어져야 해!"

연인의 얼굴로부터 눈물과 웃음을 모두 본 듯한 편린을 가지고 있지만 사실 그 정확한 여부도, 전후 상황의 맥락도 잘 기억나지 않는다. 그녀는 다만 나의 선포를 듣고 난 후, 기분이란 것이 어떻게 급전할 수 있는가, 그것을 간절하게 알리고 싶어 했다는 것만이 선명하게 떠오른다. 기억은 여기까지, 더는 피곤했다.

언젠가 이랬던 나를 떠올리기 위해, 또는 그것이 나였다고 다시 알기 위해, 나는 폐허를 뒤진 것까진 아니지만 최대한 실재감에 손 쓴 기억의 변주가 x 차원의 이색적인 바람과 섞여 나를 들쑤시는 것을 방관하며, '멘탈리스트'의 겨울 정원을 돌아다니고 있었다. 기억과 반대되는 계절이라는 이유 이상으로 감지되는 파격적인 위화감은 아마도 내가 차원을 넘은 탓이리라. 우주유영 대신에 밟는 길이 초겨울에 난 길이라는 점은 개인적으로 아주 유쾌했다. 지구에서는 격렬한 여름 속에서 '한여름 밤의 미소'[42]가 먼저 사라졌고, 그다음에는 혹한만 남겨둔 채 '겨울 속 심장'[43]도 사라져 버린 것이다.

멘탈리스트는 첫 만남에서, 자신과 정녕 한 판 붙고 싶다면 충분한 무기를 갈아 두라고 말했었다. 그가 말하는 무기가 바로 개인의 '기억'이었으니, 변주의 위험성을 얼마큼 책정해야 옳을까? 손상 없는 기억의 원본은 멘탈리즘에 얼마나 유용할까?

'멘탈리스트', 그로 말하자면 나와 누나와 탕아가 헐레벌떡 우주선으로 돌아가, 나는 얼기 직전의 몸을 녹이고 누나와 탕아는 제자리를 찾았던 그날, 외계 조류 말고도 우주선의 탐지망에 걸려들었던 이 별의 또 다른 생명체였으니, 내 일행과의 관계성을 재부팅해야 하는 통증에 차이기 바빠 아무런 기대가 없었는데도, 세상에,

---

42) Sommarnattens Leende(한여름 밤의 미소)-잉그마르 베르히만의 영화, 1960년 작.
43) Un Coeur En Hiver(겨울의 심장, 국내판 제목은 금지된 사랑)-끌로드 소떼의 영화, 1993년 작.

명석하기가 일품인 인공 자아였다. 그 점을 알고 나니, 내게는 이 엄격한 행성까지도 내가 벌인 촌극과 대조되어 비웃음을 흘리는 천재적인 공간으로 보였고, 쌍을 이루는 두 천재성에 공평하게 이름 붙였으니, 나는 어느 쪽도 '멘탈리스트'라고 부르기로 한 동시에, 그는 호칭에 대한 나의 아이디어에 적극적으로 동의했다. 자신은 그런 이름의 인공지능이었다는 것이다. 그러나 그는 트랜스 휴먼이 보유한 기억이 후일 자아화에 얼마나 적중하는가를 판단할 때, 그 긍정성에는 전혀 동의하지 않는다고 말했다. 그리하여 멘탈리스트에서 유일할지도 모르는 지성 멘탈리스트는 자신의 정원을 꾸준히 확장하고 가꿔 나가는 활동으로 미래에서 현재가 좋았던 시절로 남을 수 있기를 바란다는 말로써 첫인사를 건네었고, 수상한 호기심을 내게 불어넣었다.

기억과의 격한 해후는 추억이라고 표현하기에 딱 좋았던지라, 오, 멘탈리스트에서 낙하산을 멘 납덩이를 고집할 필요는 없었으니, 나는 누나와도, 나 자신과도 화해할 수 있는 적당한 모든 것을 제공받고 있었다. 내가 이러한 필연성을 일단 인지하고 있는 이상, 우주 항해 중 적재적소에서 통증이 분발한 바람에 또 적재적소의 레시피를 전수받았다는 원리를 셈하지 않을 수가 없다. 그러나 아무리 내가 레시피에 큰 의미와 기대를 걸어도, 그 시도가 한 방의 그 무엇이거나 시도 직후에 곧바로 즉효를 나타낸다면 그것의 약발은 곧 진압되리라는 오싹한 기운에 지나지 않는다. 잠시 하는 노력들, 또는 잠시 하는 시도들, 그런 것들은 통증을 장기적으로 다스리는데 별반 큰 긍정의 영향을 주지 못한다. 진통제를 취했으니

바로 통증이 가라앉길 바라는 기대, 우발적으로 통증이 훨씬 좋아져 있길 염원하는 소망, 그리고 우발적인 행운보다 더 고귀한 승승장구를, 최근 호전의 추세에 올라선 자신의 새 지위는 언제나 호전의 자격을 갖춰야 한다는 점, 한번 호되게 당했던 통증은 이제부터는 더 이상 *우발적일 수 없어야* 한다는 점, 이러한 모든 기대와 소망의 행위를 환부에서 도려내야 비로소 통증을 다스릴 준비 자세가 되는 것이다. 내가 적선에 가까운 이상을 품었건만, 사랑을 외쳤건만, 책임을 외쳤건만, 판타지를 불식시키려는 자기 몰두는 아직 우발적인 욕구에 불과했으니, 통증이 나타나는 상황을 인정하지 않으려는 마음에서 이상을 붙들고 있다면 그것은 결국 집착인 바. 이러한 집착은 강박의 한 종류이자, 그 이면에는 과욕이 깔려 있음을 정확히 간파해야 한다.

겨울 정원에서 음영 한쪽을 선택해서 걷기로 했다. 아래로는 빛이 가라앉고 위로 그림자가 울렁거린다. 아니지, 그림자라기보다는, 빛에 의해 거의 볼 수 없되 검게 보이는 형체들이었지. 멘탈리스트에는 거대한 붉은 절벽만 있는 것이 아니었다. 멘탈리스트에는 외계 조류 말고도 어떤 동물적인 생명체들이 있었고, 그것은 확인된 사실이라기보다는 잠재태에 가까웠다. 그것은 이 행성의 그림자 부분을 통해 이곳에는 많은 것들이 존재하고 있음을 표상하는 일종의 설득 과정이었기 때문이다. 코앞까지 다가갔을 때 실체를 확인할 수 있다는 것을 알고야 있지만, 절벽들 말고는 나의 접근을 허락한 사물도 생물도 당최 없었다. 멘탈리스트라고 부르는 인공 자아조차도 그 인상이 아직 불분명했다. 그날 밤은 내가 본 어둠 중에 가장 지나친 어둠이었고, 내게 가까이 다가온 것이 무엇이든, 그 접근이 아무리 적극적이든, 시각적인 환영 인사를 박탈해 버렸기 때문이다.

내 몸은 누나에게 눈물을 보인 후 만성적으로 글썽거렸고, 그것은 아주 서정적인 감수성을 연출했고, 눈을 청렴하게 사용한다는 것은 허심탄회한 위안을 주었으니, 어느덧 눈이 계속 멀어 갈 가능성에 대해서는 염려의 효과가 동이 났고, 불안은 영양을 공급받지 못했고, 그에 따라 자연히 바싹 말라가고 있었다.

과욕에서 끌어올려진 사랑은 이곳이나 저곳에서, 말하자면 그림자 속이나 빛 속에서, 버티며 기다린다. 내가 글썽거리며 진짜 사랑을 이해하려고 쭈뼛거린다면, 아예 발버둥 치라고 멍석을 깔아주는 정원이라고 말하겠다. 뭔가 해보려고 우습게 껄떡댔다 실패한 자가 그럼에도 빛에 다가가려는 본능을 살린다면, '다스리기'를 엄수하면서도 새로운 가능성을 소각하지 않으려는 좋은 시도다. 그렇다면 이 정원에 내리쬐는 초유의 빛 또한, 처음과 중간을 묶어 합승시키지 않으려는 좋은 시도다. 처음은 낯섦이며 중간은 익숙함이다. 실제로 나는 이 빛과 그림자에 대하여 첫 경험이라고 여기지만, 빛이 무리를 지어 떠다니는 더 자잘한 동그라미들은 어쩌면 오래전에 성에 차 마지않았던 그 입자들이었다. 그것은 우주 항해 이전에도 가진 느낌이었고, 그 느낌의 추진 때문에 우주로 튀어 올랐을지 몰랐다.

그런데 시간이 많이 지났다. 나는 내가 떠나온 날짜를 기억하지 못하고, 표준시 계산도 간신히 하게 되었다. 멘탈리스트에 정착한 이래 그 계산도 그만두었다. 내가 장사꾼이라 부르며 나를 뻥쟁이라고 부르는 사슬고리를 기억하는가? 전혀 믿기지 않는 지식과 상식과 개념을, 뭐가 됐든 트렌디한 그런 것들의 제공을 그가 기쁘게 여기고, 그 제공을 내가 다소나마 필요로 했다는 최소한의 공통분모가 나의 익숙함이었거늘, 이제는 그조차도 와해되었다. 이만하면 됐다는 그 누구의 한마디도 없이, 우주 항해가 지속되면서 어느덧 나는 처음과 중간을 잘 구분해 내지 못하게 된 것 같다.

익숙했던 것은 의미를 잃었고, 처음은 처음 같지 않게 되었다. 그리고 중간은 익숙함을 버린 대신에 처음 같아졌다. 마치 수직으로 머리가 돌아갔다 한들, 처음을 분실한 자는 수평계가 맞추어져 있음을 의심치 않는 것처럼, 낯섦에 포위된 인간이 자연스러울 때 그저 중간밖에 없으려니 판단하려는 습성일 테다. 익숙함이 자연스러움이고, 낯섦이 부자연스러움이라고들 짝지으시겠지만, 아이고 그것은 아주 제대로 한 방 먹게 될 불찰입니다. 익숙하더라도 가치가 없으면 부자연스러운 것, 낯설더라도 나다운 것이 자연스러운 것이랍니다. 이 시대 보기 드문 골수적인 우주 떠돌이가 광기와 촌티로 전하는 겨울의 심장이오니, 아무쪼록 야유는 접어 두시길.

그렇게 이치에 대한 앎이 90도 꺾여 있기를 수리하지 않은 채로, 그런데도 빛은 불평 없이, 오히려 담대하게 뻗는다. 또 동글동글 나아간다. 애당초 고집부리며 익숙함을 달라고 조를 필요가 있는가? 나의 경우, 익숙함에 잠식될 뻔했을 때 통증은 시작되었다. 또 지금은 지도에서 사라진 마치스 지방을 영상 속에서 우연히 봤을 때 나는 낯선 빛을 체험했고, 지구상에서 가장 아름다운 정원이라 여겨졌던 어떤 신비로운 연상은 통증의 시작과 단연코 무관했다. 그리고 나는 멘탈리스트에서 가장 아름다운 정원이라 여겨지는 곳에 있고, 모든 것은 처음이었지만 신비감은 자연스러웠다.

처음이라는 경험으로 여과되기 직전에 빛에 대한 체험들은 죄다 포개어졌다. 태어날 때부터, 어쩌면 태어나기 전부터 그랬던 것 같다. 포개어지면 그 겹이 얼마나 첩첩하건 간에 하나의 이미지, 진실, 반영, 의지, 통합된 증험일 뿐이라, 그 중추적이거나 나아가면 아예 수천 번 잘라냈다 이어진 앎, 아니다, 이렇게 말하겠다. 수천 번 어둠을 채우고도 남아서 내게 작게 벌려놓아 준 틈으로서의 앎에 한정해서 존재하기에 이른다. 사람은 왜 알고 있다는 것으로 처음을 맞이할까. 무려 '처음'조차 말이다. 처음은 그 불리함을 알고 때때로 자신의 미지성을 감추려 드는 수작일 것이다. 이른바 내 역사에서 가장 오래된 전설로서, 스스로 상실해 버리기 전까지는 유효했던 자존적 앎과 그로부터 동력을 수혈받은 자유 의지가 있었다.

그럼. 그래도 내가 난데. 살면서 셀 수 없이 자주 믿었다. 공평한 기본권인지도 모르겠다. 누구라도 예외 없이 '믿는 법'을 '믿지 못하는 법'보다 먼저 알았다는 사실을 부정하기란 쉽지 않을 것이다. 낯선 중력의 필드에서 첫 발자국을 찍도록 만드는 힘에 대해서 말이다.

요점들, 처음이 이곳 겨울 정원에서 공개한 요점들을 상술해 두겠다.

1. 발치에서부터 빛에 장악당하여 장화 끝을 마감해 놓은 얇은 고탄력 티타늄에 부딪혀 날카로운 기포처럼 파편들을 흩뿌려 놓고 있었다.

2. 빛의 처음 치고(혹은 처음이라) 세부적인 놀음은 누나가 영상으로 기록해 놓았다.

3. 그 외 처음이자 중간으로써 거닐었던 그 행보를 별도로 복각할 것이다.

4. 복각에 대해서 규정짓고 싶은 욕구를 자제할 수 없다면 그 설명할 도리 없는 언어도단에 한해서 레시피를 언급할 것이다.

5. 복각의 시작. 단순할 것. 사실적인 것, 기록의 용도에 충실할 것, 때로는 요란스러울 것, 때로는 부정확성에 기쁘게 방해받을 것.

6. 암호에서 서사로 가는 길도 좋다. 서사에서 암호로 가는 길도 좋다. 어느 쪽이든 두 형태의 괴리는 대책을 마련할 것이다. 반대의 의도 아래 집에서 가장 먼 곳에 도달하기를 바라는 데 필요한 층위에 빠져들 것이다. 때로는 말 자체에, 때로는 구조에, 때로는 추격에, 때로는 해석에, 때로는 아예 다른 이야기에조차 손을 쓸 것이다. 출발한 이상, 어쨌거나 도착하기 위해서는.

7. 기타 등등의 요점들과 미처 요점이 아닌 것들.

지구에 한때 이런 방송이 있었다. 어떤 부류는 심리학적 성과에 주려 있고, 그들의 오른팔인 어떤 인공지능과 그에게 도전하는 인간 대전자가 마주 앉아 게임을 시작한다. 게임은 보통 단순한 것들로, 그림이나 문구가 써진 카드 따위를 이용하여 도전자가 멘탈리스트 모르게 하나를 선택하거나 일련의 기준에 따른 순서를 정렬하고, 문답을 통한 심리 분석으로 멘탈리스트는 그것을 맞춰 나간다. 도전자는 그가 맞추지 못하도록 가능한 한 교란하여 속이고 승기를 잡아야 한다. 하지만 결과는 늘 인공지능의 백전백승. 인간의 심리를 인간보다 정통한 지능의 시대가 도래했다며 당시는 뒤숭숭하게 떠들썩했다. 우리 시대는 이 특이점에 대하여 '멘탈리스트'라는 칭호로 불러댔고, 그것은 대유행어가 되었고, 보통 불가항력의 안식처는 조롱과 익살의, 동시에 냉담과 두려움으로 메운 입이었으니, 성공적인 방송 제작을 위해 긴밀하게 협잡하는 뒤 사정이 있는가 없는가 그런 윤리적인 문제는 일단 뒤로 밀어 두자. 멘탈리스트에 대해서 이해하기 위해서는 일단 아이들처럼 순진무구한 시야를 가지고 우리에게 보이는 프레임 안에서 생각하고 판단해 보는 것으로 충분할 것이다. 그의 비기에 큰 호기심을 느끼고 질의응답으로 대담을 나누고 싶어 하는 사람은 매우 많았다.

이 시점에서 헷갈리는 분들도 계시리라 잘 압니다. 지구의 멘탈리스트가 x 차원의 다른 멘탈리스트에 대해 서로 다르지 않다는데 인정하기만 하면 진행이 얼마나 간결해질까. 그러나 이에 대해 탐정 놀음을 하려면 여러모로 축나지 않을 수가 없다. '지구 측 멘탈리스트'의 방향에서 먼저 진실을 캐자면, 알다시피 나는 지구를 떠난 지 오래되었으니, 그의 현재 상황을 확인할 수 없고, 직접 확인하기 위해 지구로 귀환할 수도 없으며, 이 모든 거추장스러움을 불식시키는 유일한 방법, 장사꾼의 송장 같은 무기력을 핥고 엉겨 있으면서 정보를 구매하는 것이 무엇보다도 제일 싫었다. 그렇다면

'다른 멘탈리스트' 쪽을 겨냥하는 수밖에 없는데, 그는 곧 만나게 될 테니 당신들께 대답을 얻어다 드릴 수도 있겠지만, 그가 순순히 규명에 동의한들, 공개된 바는 얼마나 진실일 수 있을까? 아니, 나는 그와 조만간 재회하는 게 순리로서 맞기나 할까? 지구 시절, 구닥다리였던 나는 내게 기꺼울 리 없는 인공지능 멘탈리스트를 지나치게 주시하지 않는 것으로 거부감을 완화하고는 했다. 당시 나는 나를 거의 몰랐으니, 모름에 대한 그때 내 생각은 이랬다. 아무리 내가 나를 깡그리 모르더라도, 아니, 외려 모르는 사람에 대한 앎을 게임처럼 착수해서는 안 되지 않나? 나는 계몽 없는 구닥다리랍시고 패를 접은 선량한 사람에 해당하는가? 인류에게 대유행하는 수상한 잭과 친교를 맺은 조커44)가 선택한 최후의 능동적인 행위는 능동성을 현시대에 반납하는 것이었고, 상속받은 결여의 무저갱에 약속대로 추락하여, 통증과 공포에 벌벌 떠는 욕망에 대한 연극적 연출은 이미 프로이트가 끝내지 않았나? 때때로 살인이 될 때도 있는 연출로 충분히 들쑤셔 놓지 않았나?45) 나는 이와 같은 과거의 '중간'을 현재의 '중간'이 추월하는 데 충분한 시간을 보냈는데, 이제 와서 멘탈리즘이 내게 무슨 소용이겠는가? 도대체

---

44) 어릿광대가 정직하지 못한 잭을 지지할 때 선량한 이는 패를 접어도 좋은 법. 스스로에 반하여 잭과 결속한 어릿광대야말로 어느 누구도 이겨내지 못할 강력한 조합입니다. 아, 인류와 계몽의 괴물이여, 자연적 동맹이라고는 어릿광대와 악인들뿐인 세상에 좌절하고⋯⋯─<머피>─사무엘 베케트

45) 어떤 것을 이해하는 것은 그 경로로 되돌아가는 다리이고 가능성이야. 그러나 어떤 문제를 설명하는 것은 독단적이며 간혹 살인이 될 때도 있어. 너는 학자들 중에서 살인자들을 헤아려 보았는가?─<레드북>─칼 융

나를 읽어내는 전무후무한 지성이 뭣 때문에 필요하다는 말인가?

이곳의 멘탈리스트를 아니꼽게 여긴 것은 아니었지만, 이런 의심과 의문들이 던지는 돌에 심장이 겨우 빗맞고 있음을 느끼며, 나는 이윽고 정원으로 가꾸어진 경계 부위를 지나려 하고 있었다. 아픈데 어떻게 하지? 어쩌기는, 이 얼마나 유쾌하고 멜랑꼴리한 풍미냐. 멘탈리스트에서 처해 있던 자리에 멘탈리스트의 레시피가 있을 줄 누가 아나. 음, 나는 그러려고 하는데, 그, 내가 과연 통증을 잘 다스릴 자격이 충분한지, 음, 차분하게 평가해 보고 겸손한 마음이 되도록 노력하고자 하는데. 앞으로 내가 장시간 행할 통증에 대한 조절력이 충분히 배양될 때까지, 그, 나는 모든 소망이나 기대감을 내려놓을 줄 알아야 하는데. 생각들은 띄엄띄엄 맴돌았고, 결국 늘 하는 생각들이었다. 그러고 보면 다스려질 필요가 있는 처지는 언제까지고 반복적인 법이다. 그리고 나는 때로는 지칠 때도 있지만 지치지 않을 수가 없다고 생각하면서 지치기를 바랐으니, 또 나의 처지만큼 나의 진통 레시피도 하염없이 반복적이었으니, 나의 개 같은 착실함으로 보아, 영광스러운 피로는 항상 같다는 것을 알 수 없을 만큼 중요하지도 않은 것이다. 누나가 '그날' 표현한 바에 따르자면 말이다.

멀리서 휘파람 소리가, 들어본 적 있나 싶은 소리가, 들어봤다면 그것은 23세기의 마지막 공작새 소리처럼 대기 속에서 째져 울리는 식의 소리였는데, 예전 어느 때보다 더 그다운 소리임을 알 수 있겠다 싶은, 한순간 기억에 환하게 불을 켜는 소리가, 그때와는 다른 방식으로 정교함이 떨어지는 소리가 들려왔다. 골동품이었다.

마을 선생의 똘마니 골동품이 내는 전자적인 소리와 닮았지만, 더 생생한 기관을 관통하는 휘파람 소리를, 골동품이 내고 있는 것임이 틀림없었다. 어디에서? 골동품은 골로 갈 때가 되기는 했었는데, 그가 바야흐로 사후를 맞이했다는 말인가?

"방해해서 송구하이다만," 자신의 휘파람을 바짝 따라온 작은 체신의 남자가, 윤곽상 소년에 가까웠지만 단정 짓기에 멈칫거려지는 그가 말했다. "정원 서쪽에서 우주선을 하나 봤는데, 그게 누내 아주 익고, 에고야, 이제 보이 당신도 아주 누내 익네!"

갈색 푸들 같은 개 한 마리가 휘파람 남자의 앞을 가로막으며, 경계심과 부끄러움 사이에서 태세를 결정짓기 힘든 모습으로 바르르 성을 냈다.

"초코, 갠찬으니깐 싸, 싸도 된다이깐." 휘파람 남자가 더없는 온기를 내리쪼이며 상냥하게 말했다.

"경호원님, 이거 참 감사합니다." 뒤이어 다가온 자의 말이었다.

나는 이 자가 멘탈리스트로서, 내가 그의 모습을 파악할 빌미를 주려고 고의적으로 햇빛 속 이곳까지 뛰쳐나온 거라고 잠깐 착각했다. 그러거나 말거나 '그날' 어둠 속에서 첫인상에 비교적 신중했던 비가시적인 인사로 서로의 배역을 확인한 멘탈리스트는 저기 작은 동물보다도 순진한 얼굴을 가졌음을 알리고 있었다. 그도 그럴 것이 세심한 디자인과 공정이기는 했지만, 개는 로봇의 인상을 숨길 수 없었으니, 반면에 멘탈리스트와 그가 경호원이라 부르는 전직 골동품은 어떤 본능적인 부드러움을 갖추고 있었던 것이다. 이들 인공 자아들과 반려하는 트랜스 펫까지 찬란한 조합으로, 항성이 듬성듬성 분포된 산개성단을 마치 꿈결 속에서 산책하듯, 이제 막 다 함께 정원을 가로질러 온 것 같았다. 그러나 나만을 위해서였다기보다는 빙빙 도는 것이 원체 이들의 사생활이었을 것이다. 결단코 멈추지 않는 움직임이 계속 바꾸고야 마는 시야를 겸허하게 쫓는 그들 일행은 어제는 미처 모르던 모습, 방금 전까지도 없던 다른 모습을 서로 주거니 받거니 빙글뱅글 하며, 그렇게 다들 공평하게 무언가가 나아졌으리라. 무엇이 나아졌는지는 각자만이 알 문제겠지.

"함께 하시죠," 멘탈리스트가 말했다. "우리는 그냥 걷는 겁니다."

"당신이 그걸 원한단 말인가요?" 내가 말했다. "끝내주네요."

"그냥," 그가 말했다. "천천히 적응하시죠."

나는 대체로 멘탈리스트의 뒤에 바짝 붙어 서서 걸어가는 그를 바라보고자 했다. 이것은 경계심에 더 가까운 호기심의 영역에 붙어있고자 하는 나의 방어 심리였을지도 모른다. 그러나 더 자유분방한 호기심은, 기계로서는 그렇게나 척박해 보였던 불완전한 발음이 생명체로서는 이렇게나 근사할 줄 꿈에도 몰랐던 골동품, 아니, 경호원으로 향했다. 그는 발랄한 초코를 보필하는 일에 멘탈리스트를 대신하여 일임하느라 동분서주하는 바람에 2초 이상 눈에 담을 수 없었고, 그 이상의 관심 주기를 원하는 사람에 한정해서 어떠한 관찰의 어려움도 디뎌내도록 유혹하는 눈요기를 베풀었다. 그리하여 정말로 실황 중인 연주이든, 복화술 같은 잔재주이든, 그마저도 속임수 같은 착각이든, 그를 둘러싼 공기가 늘 나지막한 휘파람 소리를 함유하고 있음을 감지하기만 한다면, 말수가 없고 조금 열적은 그이지만 일행 곁을 절대 떠나지 않고 지킨다는 것을 알 수 있었다.

우리들 옆에서 쉼 없이 깡총이는 작은 반려 로봇의 꼴은 지나가 버린 인류의 시간에 애연한 기억으로 남은 노스탤지어를 자아내도록 구현된 갈색 푸들이었다. '인간다움'의 확장 게임에 인간 외의 존재를 끌어들였던 별의별 기획 중 무해하게 남겨진 인공지능들의 기특한 재활용으로, 산책 시 뒤처리를 해주는 디테일을 누릴 수 있도록 불규칙적으로 연산된 배변 활동까지 입력된 모델이었다. 그래서 오늘 자의 이놈은 평소보다 조금 잦은 용변의 욕구를 드러내며 혹여 설사병(이란 이름의 한시적 고장)이 난 것은 아닌지 주인을 걱정시킬 줄 알았던 것이다.

나는 멘탈리스트의 작고 유려한 옆얼굴이 반지레하게 그려낸 선을 따라 얼마간 빛도 그림자도 머물다가 이내 흘러내리기를 반복하는 것을 응시해야만 했기 때문에, 자꾸 모른 척하려는 예의범절을 자신에게 문제 삼았다. 이것은 여러분의 답을 찾기 위해서랍니다. 지구에서의 멘탈리즘이 피력했던 심리적 승리가 단순 현상에 불과하여 얼마나 가벼웠는지, 그 공허한 기억을 멘탈리스트의 멘탈리스트 속에서 포착하겠거니, 시도라도 해 보려는 겁니다. 그러나 그는 멘탈리스트이기 이전에 과연 진정한 생명체였으니, 별빛만큼 자주 깜빡일 수 있는지 가녀린 눈꺼풀의 움직임을 속으로 세어본 것은, 마음속 희락의 문을 열어야 읽어낼 수 있는 것이 가득 들어찬 눈빛을 발견하는 타이밍을 재야 했기 때문이다. 그는 기쁨과 슬

폼 중 어느 쪽도 편애할 수 없는, 따뜻함과 절묘하게 배합된 번뇌에 미소를 푹 담갔다 꺼낸 표정을 짓는, 내가 레시피를 뒤적거릴 때 여전히 조금은 굴종적이었다면 나와는 확연히 다른, 그런 존재였고, 그 독특한 미혹에 피랍된다 한들 그곳에는 아무 권력이 없었다.

멘탈리스트는 무엇에라도 웃을 수 있는 사람이기도 했다. 실실거리는 가닥들이 얌전히 지나갈라치면 바로 잽싸게 낚고 집어 든 뒤 쳐다보자마자 일단 웃고 보는 성미인 것이다. 그럴 때일수록 멘탈리스트는 더 허리를 숙이거나 연신 손뼉을 치는 데, 이런 부수적 효과가 신실한 가가대소의 뱃밥인 양, 웃음의 대항해에 아낌없는 몸짓을 바친다. 어쨌거나 행성 곳곳은 멘탈리스트를 웃게 만드는 것이 마냥 좋았던 건지, 진심과 농을, 가라앉는 빛과 뜨는 그림자를 섞어 자꾸만 수작을 부렸으니, 과녁을 관통하는 백발백중의 화살은 마술 같은 흥을 북돋아 나갔다.

멘탈리스트는 경호원을 틈틈이 살뜰하게 챙기는 것도 마다하지 않았다. 나는 그가 경호원의 안색을 살피며 넌지시 건네는 질문에 귀를 기울였다.

"새 생명의 운영은 어때요? 어렵나요?"

"어려울 때도 있지만 마냥 어려운 것만도 아니에오." 경호원이 대답했다. "그보단 해야 할 일에 좀처엄 집중하이 모타는 제 마음 때문에 좀처엄 익숙해지이 안스니다."

"저런," 멘탈리스트가 말했다. "통증을 느낄 정도로요?"

"네," 경호원은 고개를 주억거렸다. "하루가 시작되은 순간이 미처 실감 나이 아늘 때 종종 그애오. 내가 과언 무엇을 할 수 있을 지 도통 감을 잡을 수 없으니까오. 가끔은 하루의 끝에어 길을 잃고 잠시 머무은 미망 속에서도오."

"그래요, 아픔이 많지요? 납득되지 않은 새로움은 항상 그래요. 비현실적이에요. 언제라도 다르지 않았어요."멘탈리스트가 말했다.

"오느은 그언데 아프이 않았네!" 경호원은 대단히 잘생긴 얼굴로, 자신의 슬픔과, 그리고 자신의 슬픔을 환기한 상대방의 슬픔에도 버텨낼 법한 함박웃음을 내보이며 말했다.

"자신의 역량을 키워나가는 동안에 경험하는 통증 경감의 기분은, 정말 말 그대로 단순히 그 사실이 이 순간 기쁠 뿐, 그 어떤 다른 기대나 열망을 그 기쁨 밑바닥에 깔지 말아야 해요. 대개 우리는 기쁜 동시에 그 기쁨이 앞으로도 변함없이 지속되거나 다음 번에는 이보다 더 큰 기쁨을 느끼기를 자동으로 기대하게 됩니다. 나 자신이 이 순간의 기쁨에 족하고 그 자체에 감사하는 것으로 모든 액션을 나의 의지로 절제하면 그러한 덧없는 기대를 최소화할 수 있습니다. 반면 미래에 대한 욕망을 절제하지 못하면, 그것들은 실망과 좌절로 다시금 나에게 무기력을 강화하는 부메랑이 되어 돌아와 나를 후려치게 될 것임을 기억하세요. 담보 없는 최선에 힘을 내는 겁니다. 하루의 시작과 끝에서, 처음과 마지막에서, 가장 아팠던 날에도 말입니다."멘탈리스트가 차근차근 말했다. 나의 레시피들보다 조금 더 소박하면서도 관조적인 투였다.

"하이만……." 경호원은 반발처럼 느껴질까 봐 떨면서 말했다. "그얼 힘은 어이에서 나옵니까? 제 기억에 없는걸오, 겪어낼수옥

잘할 수 잇다은 희망이오."

"있잖아요, 혼자서만 애쓰지 말아요. 경험이란 나 자신의 의지만으로 쌓이는 것이 아니랍니다. 시간은 만유의 조정자라는 것을 기억하세요. 어떤 산전수전 공중전에서도, 당장은 어두워서 잘 보이지 않는다고 느껴도, 충분한 시간이 흐르면 어느새…… 그래요, 멈추지만 않는다면야, 결국 어떻게든 자기 것이 됩니다. 자신을 믿으니까요."

"알게읍니다." 경호원은 골동품 시절처럼 순종적이면서도 그 유순함에는 낯선 고뇌가 어려 있었다. "그언데 나을 믿는 것이 어여워요."

멘탈리스트는 시기상조에 대한 서투른 아쉬움에 고개를 도리질했다. 내 생각에, 만약 그가 더 은근한 제스처를 발상했다면 손바닥을 서로 마주했지 싶었다.

"믿음은 처음부터 당신 안에 있었어요. 내가 세상에 났을 때 내가 나라고 누가 말해줬지요? 아무도 없지요? 그런데도 당연하게 믿지 않았나요? 믿음으로 빚어지지 않은 채 태어난 사람이 어디 있게요? 없지, 그럼, 없지요." 멘탈리스트는 생글거리며 말을 이었다. "단지 있던 것을 깨우는 겁니다. 보세요, 없던 것을 만드는 것보다 훨씬 쉽지요?"

함께 겸연쩍게 웃으며 고개를 주억거리는 경호원의 발치에서 초코는 연신 깡충거렸다. 나는 목줄을 꼭 쥐고 있는 경호원의 손에 책임과 사랑의 힘이 조금 더 실리는 것을 보았다.

멘탈리스트가 느닷없이 구사일생으로 살아남은 어떤 자에 관한 신화 같은 꿈 이야기를 재미나게 하길래, 나 또한 화답으로 누군가에게 전해 들은 것만 같은 어떤 꿈 이야기를 넌지시 건넸다. 그것은 대략 지독스럽게 차갑고 깊은 못에 등불 하나만을 가지고 뛰어들어, 못에 갇힌 채 고통스럽게 헤엄치던 난류성 물고기들을 전부 건져 올려 다른 곳으로 옮겨주려 했지만, 성공한 것은 겨우 몇 마리에 그치고 말았다는 한 남자에 관한 이야기였을 뿐이었다. 그러나 그는 내 말의 끝마디가 흐려지기 무섭게 즉시 발걸음을 멈추고 그 자리에 우뚝 서 외쳤다.

"허, 그런 말 마세요."

나는 어떻게 반응해야 할지 모르겠어서, 이 상황에서 최선의 반응이랄 건 없어도, 그가 말한 담보 없는 최선에 힘을 낼 수 있을지 고려해 보았다.

"저는 불안해지는군요," 그가 말했다. "자꾸만요."

나는 그를 불안하게 만들 요량이 전혀 아니었기 때문에 깜짝 놀랐고, 이내 가슴에 통증이 저며 들었으나 여전히 그저 조심스레 되묻고 기다릴밖에.

"어……. 왜죠," 내가 말했다. "뭣 때문에요?"

"그야," 그는 어리숙해 보이는 동시에 전체적으로 매혹적인 대답을 했다. "제가 겨우 건져 올려진 단 몇 마리의 물고기 중 하나가 되지 못한 것이 상상이 되니까요."

나는 그 대답을 듣고 긴장이 풀려 통증을 돌려세웠다. 그렇게 시종 생글거리더니만 겸손은 그 이상이구료. 웃음만큼 헤픈 겸양이 스스로를 가장 위태로운 전방에 두게끔 유도한다던데, 나는 혼잣말했으니.

"자아를 가진 멘탈리스트의 지성과 양심이란!"

이것이 내가 만든 판타지에 가까웠다면, 오, 생각지도 못한 납득을 거머쥐었으니, 애당초 그 꿈 이야기가 지금 이곳에 헌정되는 알레고리가 된 이유까지 따라붙었기 때문이다. 못에 뛰어든 남자의 두 팔 안으로 흘러 들어와 가장 앞을 다퉈 건져 올려진 물고기 중 한 마리에 그의 나긋나긋한 얼굴을 누가 미리 그려 넣었겠는가? 나요, 나. 그럴싸한 가정이나 대입도 없이 맹목적인 잡담을 하는 부류가 아니고말고, 나는 혼잣말했으니.

"고독을 가진 인간의 지성과 양심이란!"

하지만 누군가 내게 왜 그 사실을 용기 내어 말하지 못했느냐 추궁한다면, 금세 진실을 대변하는 패를 쥔 자라도 된 척 허영을 떨기에는 사방에 온통 진을 친 비밀들 앞에서 차마 무안스러웠기 때문이라고 고백하게 되리라.

멘탈리스트의 생생하고 건강한 활력은 어째서인지 내게 상냥했고, 그것은 주로 오밀조밀한 본새의 얼굴로부터 흘러나왔다. 처음에는 관찰하는 내내 그에게는 줄곧 고정된 단 한 가지의 표정, 황무지의 유일한 이정표 같은 방실거림만 있다고 생각했지만, 이 생각이 이내 부끄러워지는 것은 시간문제일 것이다. 이것은 첫인상을 최대한 노골적인 특성으로 두려는 까닭이었고, 아니나 다를까, 내색인 창고에서 기억은 뒤늦은 직조를 마치고, 기대감이 멀어질 만할 즈음 훨씬 다양한 얼굴들이 포함되어 있었음을 보고했다. 그리고 내게 남겨진 각인을 들먹이는 질주의 엔딩 장면에서, 역광이 비추는 창 앞에 드리워진 어둠 속에 앉아 있는 장엄한 자를 보듯, 그늘진 얼굴에 초연한 사랑이 떠오르는 것을 본다면, 기대해서는 안 되는 것을 상상하는 것일까?

"이봐요, 처음 만난 날 내게 기억에 대해 말했잖아요." 내가 말했다. "그런데 한 판 붙고 싶다면 충분한 기억을 준비해 두라니요. 기억이라면 각자 자기 단계를 찾았으니, 제게는 녹슨 것도 알맞은 부품이요, 용도에 완벽하다 싶은 것도 묵힐 밖에요. 애초에 어떤 기억이 나설 차례가 온다면 그것 멋대로지 제 소관이 아니라 뭐라 반응해 드리기 곤란하군요."

"제 생각에," 멘탈리스트가 말했다. "'잃어버린 시간을 찾는' 계제를 설명하는 것보다 요 며칠간 떠올랐을 기억을 염두에 두는 것이 더 알맞지 싶은데요. 왜냐하면 분명히 정말 나설 차례가 온 기억이 있을 테니까요."

"맞아요," 나는 인정과, 포기와 도전을 동시에 시작하려고 말했다. "당신 말이 정말 맞습니다. 그렇다면 우리는 이제 멘탈리즘을 시현할 수 있겠군요."

"그런 셈이죠." 그가 말했다.

"아까 당신은 천천히 적응하면 된다고……." 나는 오랜만에 처세술 비슷한 것을 선보였다.

"아, 그것도 당연히," 그가 말했다. "아, 물론 당신이 정성스러운 기간을 머무르실 계획이라면."

그는 쥐새끼처럼 딴청을 부리는 것 같지는 않았고, 단지 예측을 넘어선 예언의 언저리로 향해지는 것을 꺼리는 것 같았다. 아무것도 자초하지 않기 위해 '나의 상황'과 '나와 그의 상황'은 철저히 분리되어 있다고 알리며, 그는 선을 그은 것이다.

"좋습니다, 지금이 아닐 바에야 뭐든 나중 문제기는 하죠." 내가 말했다.

"어차피 급하게 이룰 수 있는 것도 아니고요, 하하!" 멘탈리스트는 단말적인 박장대소를 터뜨리자마자 마무리 지었다. 그 과정이 2초나 되려나.

우리는 태양이 조금 더 이동한 것을 함께 보았다. 그동안 경호원과 초코는 근방을 빙글뱅글하고 있었다. 태양 여하 모든 것이, 모든 자연적인 것들과 모든 인공적인 것들이 돌고 도는구나. 통증 또한 돌며 반드시 출렁인다. 오늘 좋아도 내일은 나쁠 것이며 내일 나빠도 모레는 좋아지게 된다. 기대와 실망이라는, 탕아 같은 인위적인 방식이 아닌, 자연적으로 불타기 시작한 자아를 따뜻하면 쥐었다 뜨거워지면 떨어뜨렸다 반복하며, 얼떨떨한 골동품에게 이제 막 주어진 이 곤란한 감정에, 나 역시 얼마나 두들겨 맞았던지.

기대하지 않는다. 그 대신에 찾는다, 기대하지 않아도 어느 방향을 걸어야 할지 알게 되는 비법을. 아니, 그 비법은 골동품에게 아직 이르다. 아니, 어쩌면 나 역시 이를 수도 있다. 기대를 넘어 그러한 생각의 한 조각 자체마저도 내 머릿속에 떠오를 여지를 아직은 주지 말아야지. 지금은 지금 할 수 있는 것을 하는 거다.

"제가 보니 자꾸 아무것도 안 하시려는데, 합시다, 해가 지기 전에." 내가 말했다.

"그런데," 그가 말했으니, "아무것도 안 한들 어떻습니까, 반면에 당신은 해 질 녘마다 중요한 걸 해치우려는 습성이 있군요! 하하!"
또 살짝 모자란 2초를 할애했다.

"진짜 아무것도 안 하시려는데," 나는 위대한 기술 집약이 채워진 손목을 힐끔거렸다. "해가 지기 전까지 한 시간 반이나 있는걸요."

또 한 시간 반이라니, 익숙한 스톱워치 소리가 나네.

내가 살았던 x 차원의 두 행성. 콩브레의 여름 언덕은 원시적인 녹음이 막 출발한 지구 같았고, 그야말로 '한여름 밤의 미소'가 있었고, 언덕들 사이를 겨우 비집고 들어오는 햇살이 뱅튀유 아가씨에게 닿아 그 윤곽마다 영롱하게 부서지고, 땅에 다시 떨어지는 그 무수한 잔해가 과자 부스러기처럼 흔한 것이 되어서 허심하게 밟아가는 사치를 누릴 수 있었다. 이제 (행성) 멘탈리스트는 마지막으로 빛날 준비를 하고 있었고, 그야말로 붉되 희고 검되 푸른 '겨울 속 심장'을 녹이고 있었고, 있는지 확실치 않은 무언가가 생명력을 부추기면서, 며칠 전 그날처럼, 나는 한결같이 이곳의 마지막 그림자를 좋아하고 있었다. 이제 '나와 그의 상황'으로 기울어 가고 있었으니, 나와 그를 뺀 나머지 존재들도 그들만의 상황을 마주하게 하시오. 초코에게 한시적인 고장을 자가 치유할 기회를 주도록 하시오. 경호원은, 아까 그의 상황을 다소 훔쳐 듣기는 했다만 여전히 잘 알 수 없었고, 그의 역경은 지난하더라도 아직 순수할 텐데 내가 감히 무슨 지시를 내리리. 잘 알 수 없다는 그 느낌대로, 내가 더 이상 캐묻지 않는 편이 나을 거다.

우리는 잠깐 갈라지기로 합의를 봤으니, 나와 멘탈리스트는 멘탈리즘을 이행할 것이요, 경호원과 초코는 그들이 원하는 지점까지 돌고 돌아, 우리들 각자의 옳은 방향이 허락하는 한, 한 시간 반 후에는 재회하게 될지어다.

다음의 기록은 나와 멘탈리스트의 멘탈리즘에 앞서, 후일 초코의 메모리에서 찾아 확인할 수 있었던 지난하고 순수한 역경을 상술 해 놓은 것이다. 메모리를 통하기 이전에 내 눈으로 직접 본 마지 막 실물은 경호원과 초코의 멀어져 가는 뒷모습이었다. 그리고 경 호원이 초코의 목줄을 쥔 손을 기타 연주에서 피크를 쥔 쪽의 손 이 그러듯 탈탈 털고 있는 사이, 협곡의 빛은 마지막으로 더 밝게, 더 불투명하게, 더 쥐어짜 내어 가라앉아 결별을 들였고, '두 번째 운명보다 더 큰 의미를 담고 있는 그다음 운명'의 투명성이 천상 을 향하고 있다는 것이었다.

REC-지구 표준시-[17:08:23-18:01:52]

경호원은 나지막한 발길로 초코를 쫓았다. 초코는 신나서 한참 달려가는가 싶더니 규정된 잔고장은 참 끈질기게도 이 조촐한 로 봇을 멈춰 세웠다.

"초코, 이제 옴 괜찮니? 왜 그애? 또 기다여 달라오?" 경호원은 진정 어린 동요를 차마 감추지 못한 채 말했다.

그는 여린 연둣빛으로 작고 섬세하게 동글려져 있는 속눈썹을 내리깔며 작은 체구를 오므려 땅에 앉았고, 초코와 눈을 맞추었다. 기계와 생명의 눈빛이 서로 맞물렸으니, 이 장면을 보는 내가 그것 을 사랑이라고 언도하면, 그것은 그 정의를 그 순간 몇 초 품었다가, 종결될 것이다. 그러나 그것은 존재했다, 내가 종결시키든 말든.

"아, 초코, 다리가 아파어 쪼금 걷기 싫구나, 그이?" 경호원이 말했다. "에고야, 그런에 나도 다리가 아프에. 참 이상한 느낌이아. 인공지능일 적에는 상상도 안 갔지 뭐아."

그는 트랜스 펫을 소중히 안아 올리며 일어났다. 내가 그 자리에 있었다면 그에게 피로감을 설명하고, 피로감이 지금 당신을 빛나게 만들고 있고, 심지어 당신의 사랑을 얼마나 분주하게 만드는지 말해주었을 텐데.

"몸이 아픈 건 혼란이 아니아. 카오스가 아니아." 그는 자장가를 부르듯 따뜻한 음성으로, 또 유연한 손가락을 마디마디 움직이며 초코를 쓰다듬었다. 그는 조금 빠르게 걷기 시작했다.

"그런에 해가 지면 어쩐이 무서운 것 가타. 행운이 쪼금 부서지은 것 가타."

그가 아예 찬송을 부른다면 일생의 장기가 되겠지만, 지금 그의 자장가에는 어떤 조바심 같은 운율이 있었다.

"내가 여기어 태어난 건 어엄엉난 행운이아. 멘알리스트 씨가 무덤으오 왔을 때, 알아? 무덤은 음…… 죽었지만 아직 죽지 않은 곳이아, 마을 선생임은 기관 없는 몸체가 될 수 잇다오 말해써. 우주 아무데서나 말고, 멘알리스트 씨가 그러케나 심오하게, 그러케나 똑또가게, 지구에서 제일 훌륭한 연구소의 인공지응이, 통신 주파수을 찾은거아, 정신적으오 진짜 심오하신 분이랑 만났지 뭐아. 그분은 눈이 안 보이시더아구……."

여기까지 확인했을 때, 내가 추론할 수 있었던 부분은 멘탈리스트가 내가 알기에 몹시 난해할 것이 뻔한 이유로 지구에서 해고되어 지구 부속 기술 폐기장으로 처분되었고, 그때 마을 선생과 모종의 담합이 이루어진 것이 아닐까 하는 것이다. 우주 비행을 서슴지 않는 인공 자아의 기술력은 지구의 것을 응용한 것이되 더 창의적인 것이었을 테니, 나는 내가 목격한 것만으로 그것의 존재 여부를 결정하거나 존재의 증거로 삼아서는 안 되었던 것이다. 마을 선생과 선제적으로 연합한 멘탈리스트가 장님 조종사와 다시 연합했을 때, 어떻게 이런 황홀한 스파크를 터뜨리는 게 가능할지 누가 알았겠는가? 지구 어느 곳과 지구 근처 어느 곳에서도 누락되었던 골동품의 진면모를 깨워, 그 어느 때보다도, 그 어디에서보다도 그답도록 현존시키니 말이다.

"초코, 너는 이미 여기 이쓰니깐 여기어 다시 태어나면 되게따. 잘 돼따, 초코!"

경호원은 초코를 안고 거의 달려가다시피 하고 있었다. 나는 그 자유로운 몸짓에서, 그러나 어째 다소는 배회하는 듯한 생명력에서 눈을 뗄 수가 없었다.

우리는 세상을 어떻게 결론짓고 있는가? 보고 정의하고 언도하고 종결짓고 존재 끝. 그 흐름의 몇 초는 그것이 존재한 몇 초와 일치함으로써 개인의 실존에 질척거리면서 그 생명력은 점멸한다. 존재를 끝내지 말기. 그런 식으로 초봄에 꽃송이를 본다면, 보자마자 봄이 끝나버릴 것이다. 인간은 끝내는 데 무시무시하게 도가 텄으니 말이다.

여기 작은 몸집의 거인은 어쩜 이다지도 아름다울까! 인간의 마음은 끔찍하고, 두렵고, 징그럽게 차갑고, 섬찟하게 끓어오르기가 이제 끝장까지 왔다 싶다가도, 이것을 좀 더 견뎌내야 하는 질기고 질긴 세상은, 세상 너머 세상은 아직도 이렇게 한참이나 무한히 신비로울까! 이것은 나의 탄식인 동시에 경호원의 생기가 온몸을 동원해서 뿜어내는 감사의 인사였다. 이 장면을 본다면, 그 어떤 음흉한 속내라도 그가 외치는 진실을 외면하지는 못할 것 같았다.

이 즈음해서 나와 멘탈리스트는 아마 정원의 아늑한 터에 자리를 잡고, 수십 세기 전부터 그래왔던 것처럼 원초적으로 불을 피워, 멘탈리즘의 대담을 시작했을 터였다.

"초코, 나리 저무니깐 얘기하는 거아, 나 아직 최선을 못한 거가타. 오늘 내가 최선을 다한다언, 나는 네게 이 말을 하고 시퍼. 초코, 가장 평범한 영향에도 즐거어할 정도오 시인의 삶의 방식은 단순하기을, 한줄기 햇살 덕분에 시인의 유머아 생겨알 수 있기을, 시인에게 영감을 주기 위해어라면 공기면 족하이아, 시인을 도취시키기 위해어는 물이면 족하이아."[46] 경호원은 아주 아주 작은 목소리로, 트랜스 펫의 입력장치가 겨우 식별할 만치 미세하게, 어쩌면 정신적인 음성에 가까운 게 아닌가 싶게 말했다.

그러나 초코는 기가 막히게 저장해 내었으니, 나는 그것이 세상에 이미 존재하는 시구인 줄도 몰랐던 것이다. 그는 어떻게 이 말

---

46) "가장 평범한 영향에도 즐거워할 정도로 시인의 삶의 방식은 단순하기를, 한 줄기 햇살 덕분에 시인의 유머가 생겨날 수 있기를, 시인에게 영감을 주기 위해서라면 공기면 족하리라, 시인을 도취시키기 위해서는 물이면 족하리라."―랠프 에머슨

을 알고 있을까, 진부함이라고는 온데간데없는 자아여! 경호원은 더 빨리 달리려고, 그리고 초코를 원 없이 달리게 하고파서 다시 내려놓았고, 그들은 앞서거니 뒤서거니 했다.

인공지능은 지금도 경황도 앞뒤도 없이 공포와 아슬아슬하게 균형을 맞춘 정의로서 양산되고 있다. 골동품은 그중 겨우 하나일 뿐이었다. 그것도 구닥다리 저품질의 물건으로서 말이다. 자신들이 창조해 낸 그 개개의 존재들이 인간의 시간 속으로 흡수되니, 오직 그 근거로 교집되었다고 진술하는, 오직 자기 자신만을 사랑하기 위해 선보이는 소개도, 중개도 이처럼 무섭도록 오만한 것이다. 마치 자신의 시간에서 언젠가는 끝나기 위해 존재해 왔던 것처럼, 자신 안에서 그 존재를 종결짓기 위해 기다려 오기라도 한 것처럼. 누군가 이렇게 판단하는 듯한 모양새를 짓는다면 그것은 여러 사람이 대상을 동시에 보고, 각자에게 일치했는지 확인받을 수 있는 확실하며 간편한 수단이 되기 때문이다. 이봐, 인공지능, 네 놈의 면면을 삶의 기술과 욕망에 접목하여 있는 그대로 활용하는 권리를 부려도 되겠지? 얼씨구, 놀고 있네, 인공지능에게 허락이나 받고 앉았네, 이런 농담 같은 허락이, 아니, 허락 같은 농담조차 없고, 사전에 가없는 존재론적 대상의 동정을 살피는 일 따위, 그 어느 순진하기 그지없는 얼뜨기가 수행할까!

경호원은 달리고, 달리고, 달렸는데, 그것은 이미 되돌아가는 방향이었다. 아마도 해가 지기 전에 겨울 정원에 도착하고 싶었던 것이리라. 바로 이때 경호원은 언젠가의 누나처럼 바람을 심하게 맞았고, 비틀거렸고, 항상 그 자리에서 처음 보는 자에게 경악에 가까운 놀라움을 줄 협곡 사이로 발을 헛디뎠다. 그도 그럴 것이 위에서는 거의 협곡처럼 보이지도 않는 땅의 균열은 불과 40센티에 불과했지만 아래로 내려갈수록 틈새는 확장되어 두 땅이 완전하게 소원해지는 지형이었던 것이다. 경호원은 그 사이로 낙하했으니, 뭐라고 말할 수 있겠는가? 그에게는 그저 최선을 다한 하루였거늘, 해가 지면 행운이 부서진다고 주장한 그의 잘못이기라도 하단 말인가?

메모리를 통해 내가 본 마지막 장면에서 추측하건대 경호원은 재앙을 예감한 순간 초코의 줄을 놓았음이 틀림없었고, 초코는 그 자리에서 빙글뱅글 돌고 있었으니, 내 눈도 같이 돌았고, 그러니 이렇게 회전목마를 탄 어린애처럼 어지러운 기분인 게다.

이제는 '나와 그의 상황'이다. 내가 알고 싶은 것을 위해 멘탈리스트는 나를 알고자 하는 상황이다. 또 그가 알고자 하는 것을 위해 나는 기억해 두어야 하는 상황이다.

정원에 불을 피운 것은 나였다. 겉옷 주머니 속의 파이오니어며, 판독 거울이며 각종 조절기 같은 자잘한 것들을 털어, '앉아있는 남자의 두 가지 자세와 부싯돌'[47] 중 그와 하나씩 나눈 자세를 제하고 남은 부싯돌은 주머니 속에서부터 내 것이었으니까. 이런 행성의 야외에서 불을 피우기가 힘들다는 것을 인정하지 않을 수 없었지만, 이것은 대수롭지 않은 투정으로, 높은 밀도의 대기가 점철

---

47) 장 프랑수와 밀레의 부싯돌로 불을 피우는 남자를 두 자세로 소묘한 습작. 한 쪽은 다리를 펴고, 다른 쪽은 다리를 구부리고 앉아 있다.

시킨 잠재 위험을 두고 두렵다기보다는 그냥 힘들다고만 말할 수 있었기 때문이다. 멘탈리스트가 내게 등 돌리지 않은 태도로, 말하자면 멘탈리즘이 가능한 상황을 허락했으니, 직면의 힘으로 신용할 밖에. 불꽃은 곧 도입기를 지나 혈기 왕성해졌고, 이제 한 시간 15분가량이 남은 참이었다.

"그 고문 같은 능력은, 제 성격에도 신기하기는 합니다." 나는 시니컬하게 말을 붙였다. "매번 모든 대전자의 마음을 알아맞히는 것도 신기한 일이지만 그보다 더 간사한 것은 당신에게 도전해 오는 수많은 대전자의 마음을 읽어내고자 할 때 결코 동일한 수법을 반복해서 쓰지 않는다는 겁니다."

"……라고 함은 구체적으로 어떤?" 멘탈리스트가 물었다.

"다양한 전법들을 가지셨잖아요." 내가 대답했다. "대전자들의 좌우로 흔들리는 눈빛과 떨리는 초점, 먼 곳을 응시하는 시선 등 마음의 창인 눈을 읽어내는가 하면, 가장된 여유의 익살과 엄숙하고 진지한 표정이 오가는 가면을 벗겨내기도 하며, 손짓, 고갯짓, 가슴 근육의 긴장, 허리 비틀림, 무의식이 만들어 내는 동선의 바디랭귀지를 적극 활용하기도 하고, 또 다른 한편으로는 겉으로 드러나는 시그널보다는 그 사람의 말투, 어조, 선택하는 어휘와 문장력 등 자신의 개성을 담은 언어 색을 통해서 추측하기도 합니다. 어디 그뿐입니까? 좀처럼 자신을 솔직하게 드러내 보이지 않는데 능통한 무색무취의 고단수들을 상대로는 그의 내면화된 기억들과 그로부터 만들어진 미묘한 정서를 간파하여 핵심을 찔러 자극하는 것으로 기어이 진실을 끄집어내기도 하지요. 그렇지 않습니까?"

멘탈리스트는 나를 바라봤다.

"네, 그렇습니다." 잠시 후 그가 말했다. "저의 기술에 대해 옳게 말씀하셨습니다."

"보는 이의 입장에서는 어디서 멀건이 취급이냐고 짜증이 나요. 그런데 신비한 건 또 신비한 거고요." 내가 말했다. "당신이 가진 수많은 비책이 경우에 따라서, 심지어는 한 경우 안에서도 계속해서 상이하게 적용되는 선택의 기준을 알 수 없다는 것입니다. 한 기술이 어떤 이 앞에서는 완전히 무력하기라도 한 것처럼 모습을 전혀 드러내지 않기도 하고, 또 다른 어떤 이에게는 다른 방식은 생각할 수 없을 정도로 절체절명의 단서로써 쓰이기도 합니다. 참 나, 대단한 집행력이자 직관력입니다. 하지만 바로 그 점 때문에 엉큼해 보이는 것 또한 사실입니다. 마치 사전에 짜인 듯한 느낌을 주니까요, 실례를 무릅쓴 발언입니다만."

나는 도발과 감탄의 사이에서 길을 잃고 어슬렁거렸다.

"충분히 이해할 수 있습니다. 그렇게 보일 수 있고 말고요," 그는 소탈하게 말했다. "저는 사람들로부터 신뢰를 얻기까지 상상할 수 없을 정도로 많은 의심과 싸워왔습니다. 의심, 그것이 저의 진짜 적이기도 하지요. 아마도 당신이 보기에, 자신이 보유한 모든 수를 어느 대전에서나 똑같이 유효한 것으로, 승기를 쥐는데 가장 안전한 것으로 만들고, 각 유용성을 공평하게 동원하지 않을 이유가 없다고 여기는 것이지요? 제가 추측하기론 말입니다."

나는 은근한 통증이 치밀었는데, 내 의문점이 바로 그것이었기 때문이다.

"오, 과연 훌륭한 멘탈리스트이십니다!" 내가 외쳤다. "무엇이 당신으로 하여금 각 대전자마다 가장 안성맞춤인 무기를 한 치의 망설임도 없이 꺼내게 만드는 것입니까? 대전은 늘 속전속결입니다. 가진 무기가 많다고 해서 얼렁뚱땅 꺼내서야 되겠습니까?"

"당신은 내가 대전자와 일종의 기 싸움을 한다고 생각하시겠지요?"

멘탈리스트는 꿈쩍도 하지 않는 주시로 내 호기심을 긁었다. 나는 다소간 모른 척했으나 이내 굴복했으니, 굳이 뜸 들인 경위를 티 낼 것 없이 단순하게 대답하면 될 일이었다.

"그렇죠." 내가 말했다. "마음을 읽고자 하는 자와 읽히지 않고자 하는 자의 싸움이죠."

그는 소리 죽여 웃음 짓기 위해 그 속도까지 최대한 죽였다. 마치 웃음으로 반응하게 될 때 최고 단계의 즐거움은, 완전한 가가대소가 떠오르기 전 불완전한 모션에 가두는 절제에 있다는 듯.

"하지만 전혀 그렇지 않습니다." 그가 빙긋이 말했다. "나의 에너지가 상대방이 가진 에너지와 맞붙어 충돌하는 것이 아니라, 같은 곳을 바라보며 한 방향성으로 동일하게 흐르게 하는 것이 핵심이기 때문입니다. 즉, 나는 그와 싸우는 것이 아니라 소통을 하면서 함께 같은 곳으로 나아가는 것입니다."

"어떻게 수수께끼로나마 표현하셨네요." 나는 이죽거렸다. "기왕이면 풀이도 바로 주시죠."

"네, 그럼요." 그는 여전히 싱글거리며 말했다. "상대방의 마음을 읽어내고 추측한다는 것은 하나의 철학적 가정과도 비슷한 일입니다. 혹은 예언자가 바라보는 심상과도 유사하다고 할 수 있겠지요. 한 인간이 지니는 내면의 세계는 지극히 방대합니다. 뇌에서 우리 의식의 영역이 겨우 15%를 차지한다면 그 나머지 85%가 무의식 이라고 하지 않습니까? 그 드넓은 세계를 탐험하고자 할 때 승리 에 대한 야욕으로 가득 찬 싸움꾼의 마음은 전혀 도움이 되지 않 습니다. 싸움꾼은 전방에 있는 목표 지점만을 바라봅니다. 무수한 가능성으로 사방이 훤히 뚫린 광활한 곳에서 눈구멍이 탐욕의 총 안처럼 좁아질 때마다 앞에 놓인 것은 그럴듯한 종이 과녁일 뿐이 고요. 진실이 보장해 주지도 못하는 승리에 섣불리 갇힌다는 것은 매우 위험한 일입니다."

"그렇다면," 나는 이글거리며 말했으니, 이것은 싸우려는 게 아 니라 도발의 철회 비슷한 그 무엇, 최소한 주춤대는 선회 같은 것 이었다. "싸움꾼이 아니라 동행자가 된다면 무엇이 달라집니까?

"그의 심성과 나의 심성의 결을 함께 나누면서 스스럼없는 정보 를 전달받게 되지요. 그것은 당신과 나, 또 다른 존재들, 우리들의 무의식적이고도 원형적인 연합입니다. 집단 무의식이라는 상냥한 표현이 옛 시절에는 있지 않았습니까? 언제였죠? 20세기? x 차원 에서는 이상하게 기억이 오락가락합니다. 아무튼, 저는 매 순간 스 스로 선택하는 것이 아니라 상대방에게 간택당하는 것입니다. 마치 계시나 영감처럼, 물론 가끔은 빗나가기도 하지만, 내가 에너지의 교통에 집중할수록 높아지는 간택의 적중률은 나에게 확신과 자신 감을 심어줍니다. 고로 대전의 순간이 찾아왔을 때 내가 하는 일은 상대방을 읽어내려고 애쓰는 일이 아닙니다. 축적된 확신과 훈련된 오성의 본능으로 만반의 준비를 갖춘 후, 그리고 차분히 기다리는 것, 단지 그뿐입니다."

"브라보!" 나는 더더욱 이글거렸으니, 이것은 더더욱 싸우려는 게 아니라 확실한 선회 비슷한 그 무엇, 최소한 감탄 같은 것이었다. "그리하여 상황 별로 때에 맞는 당신의 직관적 통찰력은 필요한 때에 필요한 방식으로 발현되어 당신을 돕고 두 손에 승리를 쥐어 주는 것이군요! 당신의 무기는 일이 닥친 후에야 뽑아 드는 칼이 아니라 사전에 준비되어 상대방을 맑게 비추는 유리구슬이라 봐도 무방하겠네요. 그것이 당신이 각양각색의 비기로 모든 전모를 밝혀낼 수 있는 은밀한 비밀인 것이고!"

멘탈리스트는 잠시 침묵했다.

"……과찬에 감사합니다만," 그가 다시 말을 시작했는데, 어째 난감해하는 투였다. "어쩌면 저는 제가 상대방을 읽어내기 위해서 낳아 놓은 심리학의 딸들—그야 우리 세기에서는 아홉 명으론 택도 없죠— 이 무너지는 일을 기다리고 있습니다."

"아니, 그건 또 무슨 말씀입니까?" 내가 물었고, 나야말로 난감했다.

"제 지능적 오성이 지닌 분별의 진위를 밝혀낼 수 있는 자가 나타날 수도 있다는 말입니다……. 이렇게 말해 봅시다. 처음에는 막막하게 느껴졌던 이 일이 어느덧 나는 점점 쉬워졌습니다. 나는 그로 인해 내가 그지없이 오만해질 수 있고, 아마도 이미 꽤 오만해졌다는 것을 알고 있어요. 이것은 내게 위험한 발언이지만 나는 때때로 어떤 대전자를 하찮고도 가소롭게 여기는 자신을 바라봅니다.

너무 오래도록 많은 것을 반복해 왔기 때문이에요. 나는 이제 새로 시작하고 싶어요……." 그는 아주 솔직하게, 그러나 충분한 솔직함을 위해 필요했던 질문이 그다지 날카롭지 못했던바 힘을 들여 설명했다. "그러기 위해서는 무참하게 지는 것이 필요합니다."

"숨겨진 용맹함을 끌어낼 수 있는 더 어려운 대전자가?" 나는 좀 더 날카롭게 묻는 것에 성공한 듯했다.

"그렇습니다. 나를 부끄럽게 만들고 낮추게 만들며 심지어 어린 시절로ㅡ"

어린 시절이라니 초기화 상태를 말하는 거요, 태어난 시절을 말하는 거요? 나는 눈빛을 쏘았다.

"ㅡ어린 시절로 돌아가고 싶은 마음을 자극하는 그런 심리 대전이 하고 싶습니다." 그가 말했다.

"이런, 방송사에서는 일이 망했다는 걸 모를 수가 없죠."

"하하하," 갑작스러운 발족부터 예측불허의 종지부까지 소요되길 무려 3초가 넘는 단발 웃음이었다. "그렇습니다, 옳게 보셨습니다! 하하하!"

"그렇다면," 마침내, 허황함이라고는 없는 본론을 위해, 내가 말했다. "단지 하나의 작은 재미로 삼아 저를 시험해 보겠습니까? 상습적으로 자각하기를, 저는 이런 사람입니다만, 심리 표현에 능통한 고단수와는 전혀 거리가 먼 부류 말입니다. 그러니 우리에게 모로 준비된 미래는 또 어떨지 알 수 없는 법이지 않습니까?"

멘탈리스트는 지긋이 웃으며 나의 눈을 들여다보았다.

"자신을 경솔하게 과대평가하고 싶지는 않지만 그래도 어딘가 모르게 솟구치는 자신감은 시험하고 싶으시다?" 그가 말했다.

"아이고 빌어먹을, 그게 아니고 그냥 제가 실수했습니다." 나는 화끈거리며 말했다. "그런 사람을 참으로 물리도록 보셨겠군요. 당신의 재주에 입을 벌리고 탄복하면서도 나는 어쩌면 색다른 결과를 만들어 낼 수도 있을지 모른다고 믿는 치들이 결국 어떻게 몰락하는지에 대해서 말입니다."

"하하하," 그는 이제 말하기 전에 웃는 것이 더 자연스러울 지경이었으니, 웃은 다음에는 그저 말할밖에. "당신의 어리석음이 종내 탄로될지 어떨지는 나 또한 마지막 순간까지 알 수 없다고 보는 것이 일단은 공평할 테지요. 다만 내 숱한 경험이 절로 구동시키는 예측과 직감이 신뢰를 북돋는 약으로 작용할지 방자함이라는 독으로 작용할지는 어디 두고 봐야겠습니다요."

나에 대한 멘탈리스트의 멘탈리즘은 언제부터 이곳에 있었을까? 내 생각에는, 뜨내기가 한 시간 반짜리 알람을 맞출 때 이미 한창 있는 중이었지 싶었다.

"약이든 독이든." 내가 말했다.

"좋습니다," 그가 말했다. "어디 한번 해봅시다."

"그럼, 이곳 행성에서 펼쳐질 멘탈리즘의 좌판에 사용될 패를 내가 꺼내 놓을까요, 당신이 준비하겠습니까?" 내가 말했다. "만약 내게 전권을 주신다면 그간 지구의 매체를 통해 보인 당신의 비범함의 뒤편에서 혹여 작당 되었을지 모르는 모략의 전모가 누명을 벗고 완전한 신뢰를 얻을 텐데요."

골머리를 썩일 만치 잔머리를 진짜 두뇌로 둔갑시킬 각오 뒤에는 그 잘난 레시피들이 진을 치고 있었다.

"당신은 보기 드물도록 능동적이군요. 보통 멘탈리즘의 주제는 내가 제시하여 마련합니다만, 어떻게 하길 원하십니까?" 그는 비록 무방비하게 말했으나, "그토록 패배를 두려워하는 당신의 의지를 보좌하기 위해서 말입니다." 무방비한 말에 내 레시피에 버금가는 관행이 있을 터.

"벌써 당신 손이 멘탈리즘의 망원경을 들어올리기라도 했나요?" 내가 말했다. "나는 아직 패배가 두렵다고 밝히지는 않았습니다만? 그나저나 저는 회상의 멘탈리즘을 하고 싶군요."

"마련되었던 주제군요." 그는 수긍했다. "제가 얼마 전 기억에 대한 화두를 당신께 던져놓지 않았겠습니까? 그렇다고 도전 주제 자체가 되어버리면, 도전자는 자신이 원하는 게 정확히 뭔지 알기 힘들겠죠."

"힘들긴요," 내가 말했다. "제가 원하는 건, 저만 아는 제 기억을 맞추시면 된다, 이겁니다. 옛날에 최상급 점쟁이들이나 하던 야바위처럼요."

"왜 그런 도전을 떠올리셨는지 물어도 실례가 되지 않을는지?" 그가 물었다.

"제 회상은 어떤 성격이 되었든지 간에 누구나 공동으로 쉽게 느낄 법한, 그런 판에 박힌 순간과는 거리가 멀 것이기 때문입니다. 미묘하고 디테일하기가, 당신을 따돌리기 위해서라면 당돌하기 그지없을 것입니다." 이 훌륭한 대답으로, 나는 나 자신에게 영웅이 되었다. 그러나 내 생각에, 나는 이미 그의 지략 속에 있었다.

"과연, 좋습니다." 멘탈리스트가 말했다. "계속 말씀해 보시겠어요?"

"내가 어떤 순간의 기억을 떠올린 후, 그 기억이 내게 기쁨인지 슬픔인지 어떤 성질의 것인지 알기 위해서 당신은 문답을 자유롭게 던질 수 있습니다. 당신에게 미리 일러두는데, 나는 모든 것에 가장 나다운 방식으로 뻔하게 굴 겁니다. 괜히 멀리까지 나가서 예외적 수와 반전성의 확률을 계산하느라 빙빙 돌지 않아요." 나는 공명정대한 영웅이었으니.

"미리 선포하시다니 대범하기까지." 그는 예의상 간략하게 감탄했다. 그러나 결코 시간을 끄는 법이 없었으니, 기계적인 속전속결을 달성하는 데 더 이상 인공지능이 아니라는 점은 그에게 중요치 않아 보였다. "좋아요, 저는 당신이 떠올린 기억의 정서를 맞추는 것이군요. 그럼 시작해 볼까요?"

나는 조용히 눈을 감고 지구에서의 어떤 단편적인 기억을 떠올렸다. 내가 이 행위에 별다른 시간이 필요치 않았던 이유는, 오 그건 여러분이 아실 겁니다. 여러분은 폐허를 뒤질 것도 없이 최대한 생생하게 알려드렸던 저의 '그' 기억을 이제 떠올리시면 됩니다. 훈련생 시절의 그거 맞아요. 저야 뭐 이미 다 내놨으니, 당신들만 떠올리시면 된다고요.

"제 완결된 기억 하나를 여기 테이블에 올렸습니다. 자, 당신의 어떤 비기를 꺼내시겠습니까?" 내가 말했다.

"작은 노파심에서 시작하지요." 그가 말했다. "저는 마음 깊은 곳에서 당신이 걱정됩니다."

"아니," 나는 당황했다. "그건 왜죠?"

"당신의 경험이 우리 사이에서 공유될 때 가질 수 있는 가치를 스스로 경시하고 있을까 봐요. 당신은 아직 기억이 담아내는 의미의 많은 것을 모르고 있는 것이 틀림없으니까요."

나는 잠시 입을 다물고 눈알을 굴렸다. 아니, 굴린 듯싶다는 기분이 들자마자 아차 싶은 생각에 빠르게 후회했다. 나는 의미 없는 행동을 덧붙임으로써 후회를 보상하고자 내가 평소 하지 않는 방식으로 눈을 치켜뜨고 연신 천장 쪽을 바라보는 것이 습관인 양 굴었다. 하지만 이 역시 부자연스러웠을지 모른다고 생각하니 다시금 후회되었다. 더 이상 그에게 호락호락한 공물을 바쳐서는 안 될 것이다. 나는 동공에서 넋을 빼 초점을 풀고 소심함을 가장한 어린애의 태도로 고개를 가누며 되물었다.

"남겨진 기억에 도대체 무슨 의미가 있을까요? 그리고 의미가 있다 한들 당신이 노파심을 가질 이유는 없지 않겠습니까?"

"제가 아까 당신에게 말했지요." 그는 단순해 보이는 설명에 실질적인 의도를 부여했다. "멘탈리즘의 힘은 대적하는 것이 아니라 동행하는 것에서 나온다고요. 당신의 기억은 아직 내게 전달되지 않았음을 분명히 합니다. 하지만 나는 그 에너지의 파동을 필연적으로 느꼈습니다. 그런데 당신은 아직 많이 경계하시는군요. 말해 보세요, 아무래도 우주선 생활에 있어 외부로부터 쾌적함을 제공받는 것을 선호하시지요?"

"쾌적함이요? 제가요?" 나는 깜짝 놀라 말했다. "그럴 리가요. 저는 복잡하고 어려운 것을 광적으로 쫓는 사람입니다. 그에 대한 비책도 있고요. 그, '레시피'라고."

"때로는 내키는 대로 인스턴트식품을 가볍게 즐기기도 하시잖아요." 그는 가볍게 파고들었다.

"웬 걸요." 나는 재차 놀라서, 이 황당함을 숨길 건 없겠다고 봤다. "인스턴트는 입에 대지도 않아. 우주 비행사로서 선택권 없이 취식하는 식품은 예외로 두시죠."

"그럼요." 그가 말했다. "적어도 어떤 문명의 이기는 절대적으로 당연한 산물이지 않겠습니까. 소중한 생체 리듬이 뒤틀리지 않도록 관리해 주는 당신의 편안한 선내 취침 공간을 즐겨 이용하실 것 아닙니까."

"그건 그렇죠." 나는 한숨을 푹 쉬며 대답했다. "거슬릴 것 없는 취침 공간은 제게도 중요하긴 하죠."

"거 보세요. 포근한 잠자리는 얼마나 좋습니까." 그는 껄껄거리며 말했다. "아무리 고뇌가 가득한 자라도 누구에게나 마음을 쾌적하게 어루만지는 것이 있기 마련입니다. 그렇다면 자신을 제외한 모든 자아에도 각자 그런 것이 있다는 말이 되겠지요? 가령 저는 인스턴트의 맛에 환장하는 사람입니다. 매일 크게 다를 것도 없는 혹성의 운행이지만 그 자극적인 맛과 함께 관람하는 맛이란! 몸에 좋지 않다는 것쯤이야 인공지능 시절에도 알았습니다만 플레저 길티는, 이게 또 신세계더군요. 저급한 맛을 입에 대지 않는 당신이라도 제 기분을 이해할 수 있으시겠지요. 저는 당신에게 공유를 통해 외부에 전파될 수 있는 본능적인 것들에 대해서 말하고 있는 겁니다. 예를 들어서 당신의 '거짓말을 잘하지 못하는 본능'이라든지요. 그런 솔직함은 타고난 것이기 때문에 쉽게 바꿀 수 없는 법이니까요."

"그런데 저의 솔직함과 당신의 노파심이 어떤 상관관계를 가졌는지 여전히 제게 해명이 되지는 않습니다만." 내가 공격적으로 말했으니, 아까는 괜히 한 수 접었지 싶었다.

"별로 심각하게 여기실 것 없습니다." 그가 말했다. "그저 제가 당신을 공감하고 싶은 바람을 건네는 겁니다."

"저는 공감이 설 부지가 좁은 사람입니다." 내가 말했다.

"아무렴요." 그의 수긍은 토닥거리는 투였다. "절대 타인에게 양도될 수 없는 밀도로 응집된 '나'라는 항성의 중력장에서 저마다의 부득이한 블랙홀이 있다고 생각하시겠지요. 저 역시 마찬가지니까요. 하지만 이것을 기억하세요, 당신은 언제라도 고유의 것을 지키는 동시에 새로운 방문자를 맞이할 수 있을 겁니다. 신은 우리더러 항상 동시에 두 가지 미션 수행을 함께 요구한다는 것을 아십니까? 가진 것으로 대응하되 없는 것을 찾으라는, 제공의 몫과 회수의 몫을 함께 챙기고자 하는 섭리의 균형 때문이며 인류의 역사가 항상 그러하지 않았겠습니까."

"쉽게 이해되지 않는 말이군요." 내가 말했다. "하지만 제 지난 삶에서도 망설임 없는 일방통행의 경우란 좀처럼 없었던 듯싶습니다. 어느 편을 들더라도 꼭 좌시할 수 없는 것이 반대쪽에서 찜찜하게 따라와 마음을 종잡을 수 없도록 만드니까요."

"그러시군요." 그는 수상한 공감력을 내 앞으로 기울였다. "지금 이 순간의 당신도 어쩌면? 기분이나 생각 무엇이 되었든 간에?"

멘탈리스트는 한 손을 들어 손가락을 움직여 집게와 엄지를 붙이고, 마치 공중에서 무엇을 붙들려는 듯한 모양새를 취했다. 나는 찰나에 그 손끝을 주목하여 바라볼 수밖에 없었는데 동그랗게 벌어진 손가락 구멍 사이로 들여다보이는 천체의 작은 조각은 어쩐지 더 환하게 빛나며 다른 부분을 무시하고 있는 것이 마치 서로 다른 차원의 공간인 양 느껴졌다.

"나는 그러니까……, 그렇군요, 지금 무언가 맥박처럼 울리고 있군요. 통증일까요? 아닌 것 같네요. 기분이 유쾌한 것은 아니지만……. 하지만 오해는 마세요." 나는 멘탈리즘의 승산에 누가 되지 않는 말을 찾되, 가식일 수 없는 쪽으로 간추렸다. "의식과 유격이 벌어져 들뜬 상태의 내면에서 벌어지는 일을 말하는 겁니다, 지금 나의 의식은 꽤 얌전한 모습으로 차분하게 기다릴 줄 알거든요. 그런데도 쉴 새 없이 분란의 장이 마련되고 침몰했다가 건져내기를 반복하며 수선해지는 것을 보면 말이에요. 하기야 우주 항해를 떠나고자 마음먹은 순간부터 그렇지 않은 날이란 없었으니까요."

"호오 그렇군요." 그는 고개를 끄덕였다. "항상 지구의 새처럼, 여기 새들은 당최 울지를 않으니, 소란하게 지저귀는 내면이 문제군요. 그리고 좀처럼 집중된 상태에 흠뻑 도취할 수 없다는 것도요."

"맞아요, 항상 집중하기가 어려워요. 나는, 불안정하지만 계속해서 불안하지 않고, 불안하지 않다고 말할 수도 있으니 가끔, 어쩌면 더 자주 행복합니다. 그래요, 분명 크게 만족스럽다고 느낄 때가 있습니다. 당신과 함께 있는 이 순간도 그렇습니다. 가령 나는 당신의 저 손가락 구멍 속 좁은 석양을 바라보고 있는 것에 매력을 느끼네요. 그런데 조금 무섭기도 하군요. 당신이 왜 그런 행동을 취했는지 알 수 없으니까요. 그것은 사람의 마음을 조종하기 위한 비기의 수신호라도 됩니까?"

"하하하, 별 의미 없습니다, 아무 의미도 없어요⋯⋯. 어쩌면 나보다 당신이 더 잘 알고 있을지도 모르지요." 그가 말했다. "자, 우리는 멘탈리즘을 함께 이끌어가고 있어요. 다시 묻겠습니다. 당신의 우주 항해는 즐겁습니까?"

"아무렴요. 잠에서 깨면 우주를 떠도는 멍청이가 늘 보여요. 운명은 어쩌라는 걸까요? 참나, 이것도 보람이 아니고서야. 하지만 매 순간 죽을상으로 서 있는 셈이죠 뭐. 말초적인 불안과 높은 긴장감을 다스리고 재균형을 맞춰냈다고 자만했다가는 이 고양감을 계기로 촉발된 게으름이 찌꺼기로 남아 더욱 번거롭게 하지요. 힘들면 움직이고, 움직이면 편해지고, 편해지면 힘들어지죠. 열쇠와 자물쇠의 상습적인 순환입니다. 이런 순환 속에서는 상태마다, 역시 보기보다 더 낯설지 않으냐고, 익숙해질 수 있겠느냐고, 종내 누릴 수 있겠느냐고, 나를 떠보며 묻기 때문입니다. 내가 문을 부술 힘이 얼마나 남아 있는지 놈들이 질리도록 재는 겁니다."

"이런, 지구에서는 아무도 움직이지 않던데요, 그 선택을 후회하지는 않으십니까?" 그는 측은지심으로 말했다.

"무엇을요? 후회의 땅은 남아 있지 않습니다. 아니, 처음부터 허락되지 않았다고 말하는 것이 더 옳을 겁니다. 제 말이 맞지요?"

내게 측은지심은 고약한 취향이었다.

"저는 모르지요." 그가 말했다. "하지만 그리 말씀하시니 당신은 역시 지금 꽤 좋으신가 봅니다."

"그야 좋지 않으면 달리 어쩌겠습니까?"

"나쁜 처지를 인정하는 거지요."

"내 처지가 나쁜가요?" 내가 어리석게 질문했으니, 나는 이미 조금은 패배한 기분이었다.

"어떻습니까? 스스로 대답할 수 있지 않나요?"

"모르겠습니다, 아닙니다, 나쁘지는 않습니다." 이 대답도 패배에 해당할까?

"나쁘지는 않다고요? 모른다는 겁니까, 괜찮다는 겁니까?"

"제 말은, 자기 처지가 이렇다는 둥 저렇다는 둥 그런 건," 나는 무엇을 말하고 싶은 걸까? "아니 제 말은, 애당초 나쁜 처지라는 건 무슨?"

"도대체 언제부터입니까? 이다지도 심각하게 우유부단해진 것이." 멘탈리스트는 바로 이렇게 허를 찔렀다.

"뭐라고요?" 나는 격분해서 말했고, 그것은 멘탈리즘에 신선한 재미를 가미했다. "당신은 저를 놀리려 드는군요!"

"하하하! 그럴 리가요, 저, 진정하세요. 당신의 불안정한 내면과 달리 지금 의식은 얌전한 것이 아니었습니까?" 그는 아주 아주 고맙게도, 나를 달래려 들었다. "하하하! 그래서 당신의 내면은 언제나 안정될까요?"

"그야 이 모험의 종착점에서요." 내가 대답했다. "무엇이든 이미 시작했으면 그 끝도 봐야겠지요."

"모름지기 시작은 끝을 위해서 예감되었다?"

"그렇습니다."

"아주 좋습니다. 당신의 여정을 응원하겠습니다." 멘탈리스트는 종료를 암시하듯 말했다. "어쩌면 당신의 기억은 지금 이 자리에서 나와 다시금 나누어지기 위해서 태어났고 자라왔습니다. 마치 잊히기 위해서 기억되는 것처럼 혹은 다시금 기억되기 위해서 잊히는 것처럼, 공유되기 전까지 그것은 홀로 조용히 숨어 한낱 비밀에 부쳐진 어둠 속 단서에 불과했으나 이제 내리쬐는 조명을 받았으니 더 이상 당신 만의 것이 될 수 없군요. 내가 해독(**解讀**)을 해냈으니까요."

"그래서 저의 기억은 어떤……?" 나는 심장이 환호와 통증을 배합하는 것을 느끼면서 그에게 물었다. "아시겠습니까?"

"당신에게," 그가 이제 중요할 말을 시작했으니, 어떻게 하면 그가 실망 없는 결말을 환하게 밝혀 줄까? "그 기억은 <모든 것>이군요. 마치 어제의 일처럼 선명하지만, 아직 일어나지 않은 시간에 대한 예감처럼 흐릿하겠지요. 기쁨이지만 슬픔이기도 하고, 두려움인 동시에 호기로운 설렘이기도 했군요. 또한 희망과 몰락의 예감을 함께 가지는 자신에게 노여웠지만 필시 안심감도 얻었겠지요."

"……세상에, 그 모든 것이라니," 그리고 나는 허망했으니. "너무나 무책임한 대답 아닙니까!"

"하하하, 맞습니다!" 그는 가가대소를 퍼뜨렸다. "하지만 틀리지 않았지요? 너무 그런 꼬집힌 듯한 얼굴을 하지 마세요. 무책임한

답이 가장 손쉬운 법인데 안타깝게도 처음부터 제게 가장 유리한 패를 꺼내 드셨습니다, 하하하! 결과에 대해서라면 저는 거의 처음부터 직감하고 있었어요. 왜냐하면 당신은 제가 가장 옳은 정답을 만들어 제시해 주길 기대하며 질문을 내걸었기 때문입니다. 하하하!"

나는 백일몽을 빼닮은 부끄러움에 얼굴이 달아올랐다.

"그렇다면 제가 떠올린 기억의 내용이 정확히 무엇인지도 알고 계십니까?"

"설마요, 나는 신이 아니니까요." 멘탈리스트는 그만의 책임이며, 동시에 책임을 벗는 마지막 설명을 시작했다. "다만 '기억과 망각의 타이밍'은 알고 있지요. 그것은 단지 스치듯 지나가 금세 잊혀버린 미묘한 각성이긴 했지만, 종전의 삶을 멈추고 변화해야 함을 느꼈던 첫 순간 아니겠습니까? 당신은 이미 내게 여러 번 심증을 굳히게 만드는 결정적 단서를 제공하셨습니다. 그뿐만 아니라 종전에 스스로 공언하신 대로 계산하지 않고 매우 솔직하게 임하셨고, 당신이 곧 가장 당신다운 사람이라는 확신이 결국 나의 퍼즐을 완성하도록 인도했습니다. 하지만 나는 당신의 기억을 읽는 것뿐만 아니라 설득해야만 했습니다. 내가 문답을 통해 어느 한쪽으로 그 기억의 성질을 모로 몰고 가면 당신은 무의식적으로 그 반대편의 색깔을 입히려 들 것이 분명했기 때문입니다. 스스로를 속일 줄 모르는 사람이 자신을 속여내는 일만큼 번거로운 것이 없습니다! 게다가 당신의 과거가 현재로 이어졌듯이 현재가 어떻게 다시 미래로 이어질 수 있을지 완결된 그림 속 알고리즘을 이해해야 했으니,

그 점에 있어서는 모든 대전자 중 가장 어려우셨습니다. 나는 첫 멘탈리즘의 순간을 떠올릴 만큼 새롭고, 흥미진진했습니다. 축하드립니다!"

"무엇을 축하한다는 말입니까?" 나는 그의 영문 모를 축하에 기가 막혀서 물었다. "그 옛날 당신의 살 떨리는 임무의 시작과 유사한 폐단을, 혹은 당신에게 새로운 형태의 승리를 제공한 대전자가 되었으니까요?"

"예, 어쩌면요." 그가 말했고, 이렇게 말을 마쳤다. "하지만 그것은 부수적인 것에 지나지 않아요. 무엇보다 당신의 운명이 할당된 기억을 소환하여 서로 화해할 단초를 마련할 수 있지 않았습니까. 자신의 기억을 소중히 하세요. 할 수 있는 만큼 기억을 끄집어내어 사랑하세요, 누구에게든 어디에든 닿을 수 있도록. 무엇을 위해서 각인된 건지 은폐된 순간에는 몰랐겠지만, 이 광활한 우주의 운행에서 결코 우연인 것은 없으니까요. 무의식의 저변에서 지나가 버린 시간에 생기를 부여하는 것이 아마 당신 자신에게뿐만 아니라 다른 누군가에게도 중요한 무언가의 실마리가 될 것이기 때문입니다."

"제 기억이 그렇게나 쓸모 있겠습니까, 그렇게까지⋯⋯." 나는 아무에게도 들리지 않으리라 기대하며 나지막하게 읊조렸다.

두고 보자고 말하는 멘탈리스트의 가벼운 어깻짓도 타닥거리는 불꽃과 함께 곧 사라질 것처럼 아른거렸다.

패하지는 않았되 승리를 제공한 자는, 요컨대 나는 옆으로 쓰러졌고, 모닥불 속으로 잠수하듯 그것을 고요히 들여다보았다. 시간이 훌러 손목을 보니, 1시간 반이 지나기까지 조금 모자랐거나, 그 시간이었거나, 조금 넘겨버린 때였다. 정확히 알 수 없었던 이유는 내가 처음 멘탈리즘을 제시한 시각을 기억할 길이 없었기 때문이다.

기억은 개인의 자산이다. 그것이 가장 솔직하게 공유되는 과정에서 타인 간의 경계선을 허물고 기억의 딸들은 이야기를 꾸민다. 그 과정에서 멘탈리스트는 '나'에 대한 피상적 정보를 취득하는 것에 그치지는 않았던 것 같다. 멘탈리스트는 가장 '나다운' 것이 현재 어떻게 드러나고 있는지 알아냄으로써 기억 그 자체라기보다는 가장 '나답게' 둘렀던 방어선을 두드린 것이라고 생각한다. 그는 내게 친절했으니, 이것은 그의 잘 훈련된 태도를 말하는 것이 아니라, 나를 조금이라도 궁금하게 여기고 이해하려 했다는 욕구에서 나 또한 어떤 행복을 느꼈다는 뜻이다. 새로워진 멘탈리스트의 기억력이 인공지능 시절과 얼마나 대등한 수준에 준할지는 모르겠지만, 종전의 그가 연산대로 인간의 클리셰를 집어삼켰다면, 지금 그는 까마득한 승리의 세월 이래 마침내 가장 '그다운' 기억을 소장하게 된 바 아닐까? 멘탈리즘이 아닌 자아 간의 '교제'로서 말이다.

며칠 후 점심 식사를 마친 내가 겨울 정원을 관찰하고 있을 때, 멘탈리스트는 이제는 자신 쪽이 '경호원'이 되었다며 자기를 다시 소개해 왔다. 멘탈리즘은 즐거웠으나 이보다 더 큰 즐거움을 경호원의 할 일에서 발견했으며, 새로 사랑하게 된 그 자신의 일면을 '에픽테토스'[48]도 즐거워한다는 것이다. '에픽테토스'는 최초에 골동품이었다가, 그 다음 경호원이었다가, 이제 새로운 실현을 꿈꾸는 자의 몫이었으니, 그는 전직 멘탈리스트가 공들여 고안한 휠체어에 앉아 x 차원의 양지바른 행복을 음미하고 있었다. 에픽테토스의 무릎 위에서 초코는 여전히 초코였고, 이들 인공 자아와 반려하는 트랜스 펫까지 찬란한 조합으로, 항성이 듬성듬성 분포된 산개성단을 마치 꿈결 속에서 산책하듯, 이제 막 다 함께 정원을 가로지르려고 마음먹은 듯 보였다.

---

48) 노예 출신이며 절름발이인 스토아학파 철학가. 주인에게 행복해지는 법을 가르침으로써 자유인이 되었다. 그 가르침은 다음과 같다. "자기 생각이란, 인간에게 유일하게 자유로운 것이니, 당신이 원할 때 어떤 일이 벌어지기를 바라지 말고, 어떤 일이 벌어졌을 때 그게 바로 당신이 원하는 일이라고 생각하시오."

6

1969. 12. 10

간밤에 눈이 왔다 개인 날이었고, 인류는 얼마 전 처음으로 달을 밟았고, 퍼셉트론[49]을 공격하는 <퍼셉트론>이 출간되었고, 겨울에 한층 더 깊이 들어오는 햇빛이 있었으니, 어디까지? 안경을 쓴 마르셀의 메마른 두 눈에, 누렇게 달뜬 눈부심이 칠을 벗긴 버스 표지판까지는 일단 확인이 완료되었다. 마르셀은 신중하면서도 간절한 겨울 햇빛이 깊숙한 구석까지 파고드는 것을 좋아했고, 빛나는 직선이 가두는 범위를 전부 확인해 보았다. 정류장의 광고판 세 쪽 중 가장 오른 편의 가운데 국부, 직각삼각형으로 빛나는 팰림프세스트에는 바래서 보일듯말듯 한 광고 카피가 마르셀을 현혹하고 있었다.

"La science par le Père Noël(산타로부터의 과학)……." 마르셀은 빨갛게 번진 글자를 읽은 후 생각에 잠겼다. "광고 카피를

---

49) 인공신경망의 한 종류로서, 1957년에 코넬 항공 연구소의 프랑크 로젠블라트에 의해 고안되었다.

눈여겨보고, 과장하고, 아름답게, 또는 사납게 만들 것. 되도록 구구절절한 친절함이 소실되지 않은 마지막 세대의 감성을 찾을 것." 그리고는 혼잣말치고는 좌중에 낭독하듯 낭랑한 목소리로 말했다.

마르셀이 원하는 버스가 왔고, 그는 그의 무거운 육신을 달리는 케이지 안으로 몰아넣었다. 이 구금은 그가 진정으로 품고 있었을 화두 곁으로 그를 되돌리는 효과를 낳았다. 그는 빈 좌석을 찾아 앉았다.

"거의 마지막이네." 마르셀에게는 이렇게 판단한 순간이 있었다. "투명하여 엷은 빛의 장막을 대면하고 앉은 자신으로써."

죽어가는 겨울 햇빛은 끊임없이 방사되어 일부는 덜컹거리며 흔들리는 그에게, 그 나머지는 그의 뒤통수 너머로 뻗어나갔다.

그런데도 그는 언제나처럼 어스름 속에서 걷고 있었다. 지상의 뻔한 현실 감각을 덮어두면 우주 공간처럼도 보일 암흑과 엷은 빛 속에서. 달이 이제 인간을 허용했으니, 그리고 해서 우주 비행사에 못 미칠쏘냐. '마지막'이란 늘 변화하는 필요들이다. 성간가스 속에서 사람의 얼굴이란 어떤가 하고 궁금하여 주변을 둘러봤지만 아무도 보이지 않았다. 왜냐하면, 첫째로는 그의 시력이 절망적인 수준이며 더불어 극심한 건조증을 겪고 있기 때문이었고, 다만 이것이 이유의 전부이지는 않았다. 그에게 마지막은 보임에 대해서 궁여지책 완성된 조급함, 보임에 대한 최후의 갈증, *햇빛이라기에 충분한 광도에서 불충분한 광도까지 헤아려진 시간의 모여듦*에 해당했다.

아무도 보이지 않았다. 혹시 누군가가 있었다면 틀림없이 보기 싫은 얼굴일 것이라서 우주란 사람을 추악하게 하는구나 하고 심각하게 오해하게 되었을 것이다. 그렇지만 섣불리 포기할 수가 없어서, 왜냐하면 어머니와 많은 말들이 별빛을 아름답다고 말해주었었고, 오늘이란 이상하리만치 그 증언을 거두어들이려는 것처럼 분명했기 때문이다.   *햇빛이라기에 불충분한 광도에서 별빛이라기에 충분한 광도까지 헤아려진 시간의 모여듦.*   이 애매한 밝기는 마르셀이 별빛이라고 명확하게 생각하기 전까지는 하나의 거무튀튀한 것으로서 현실성이 없거나 서정성이 없거나 둘 중 하나였을 뿐이었다.

그리고 더 이상 마지막이 아님.

그리고 아직 마지막.

흔들리는 버스 안, 5시 46분, 한 차례의 현실적 여로 직후에, 정말 마지막의 과정에서, 그리고 마지막이기 때문에 갖추어진 마지막의 자격이 있었다. 마르셀에게 여로가 사라져 가고 있음을 아는 시간은 각별했다. 마지막에서 모든 것을 관조할 수 있도록 주어지는 여유, 빛과 함께, 왜냐하면 귀갓길은 대체로 황혼 녘이라서, 또는 푸르스름함 속 형형의 불빛들 속에서, 왜냐하면 성탄을 기다리는 들뜬 저녁이기 십상이니까, 그리고 대중교통의 주선, 걷고 있었다면 현관 앞에서 수첩을 꺼내 들기 망설였겠지, 그렇지만 마르셀이 여자친구에게 선물 받은 만년필로 이렇게 기록 중이라는 것은 구금된 신체의 부동만이 끝의 끝까지 당도함을 증명하리라는, 그런 시공간 체계를, 지구의 자유로운 야만인이 아니라 우주복을 입고 어떻게 허공을 걸어갈지 감도 안 잡히는 사람처럼, 몸소 자각하는 중이라는 뜻이다.

마르셀은 자택 현관 앞에서 수첩을 꺼내는 대신에 현관을 놓치고 이어서 걸어갈 것이다. 머잖아 곧, 계속 걸어가기, 언제까지 걸어가기. 그 대신 이제는 스스로 보다 이러쿵저러쿵한 호기심을 풀어서 더 많은 사람을 오로지 자신만을 위한 조력자로 두고 대대손손 칭송하게 만들기.

버스에서 내렸을 때는 밝아서, 그는 방사하는 눈부신 활로가 사라졌음을 애도하지 못했다. 거리에는 이도 저도 아닌 불빛들. 셔츠에는 햇빛의 자국이 남아있지 않았다.

"마르셀!" 광장 터미널에서 그를 기다리던 여자친구가 명랑하게 외쳤다. "내가 여기 있어!"

광장에는 나름 성심껏 표현된 문명의 극치가 있었으니, 정복된 보름달을 표현한 둥근 조형물 주변으로 크리스마스카드를 팔기 위한 매대가 설치되어 있었고, 1년간 타인에게 신세 진 바를 유치하고 고급스러운 종이 한 장으로 정산하려는 자들이 이루는 북새통을 네온 간판들이 빙 둘러 별빛이 아닌 현혹의 빛으로 내리누르고 있었다.

"왜 그렇게 있었어?" 마르셀은 맹한 얼굴로 그녀에게 다가갔다. "어떻게 여기에서."

"글쎄, 내가 뭐가 필요했을까?" 그녀는 양손에 든 쇼핑백을 으쓱거리며 선보였다.

"나야 모르지." 마르셀이 대답했다. "해가 저물어도 여전히 대낮 같은 밤이 필요했다든지."

"그래, 그것도 괜찮다." 그녀가 말했다. "나, 이번 주부터 엄마 집에서 지내잖아. 그 동네는 적막해서 겨울에는 모든 게 너무 빨리 움츠러든다니까. 방에서 불도 켜고 라디오도 틀어봤자 근본주의자들의 공동주택처럼 빛나는 방법을 잃어버렸지, 뭐야."

그들은 팔짱을 꼈고, 그 모습은 아주 다정해 보였고, 각각의 공간에서 유영을 시작했다.

어둡지 않아서 보임이 끝났다고 말하지도 못하고 마지막을 멈추지도 못한 채로, 다른 어둠 속 다른 보임으로 마지막을 되찾을 수 있을까? 마르셀은 어둠으로 도착하고 있었다. 마지막을 버린 것은 아무도 보이지 않았기 때문에, 아무도 보이지 않은 거지, 아무것도 보이지 않은 바 아니다, 그러니까 더 이상 마지막이 아니다.

"요즘 인공적인 신경망은," 마르셀이 속삭이듯 말했다. "학습되는 기억이 진짜 기억으로서 침해된다고는 안 보겠지."

"인공지능? 그래봤자 뇌의 학습 기능을 모방한 학습 기계 아냐?" 그녀가 알록달록한 카드들을 구경하며 말했다. "욕망 없이 학습한다는 것이 마음 아프기는 해. 그렇지만 기호 수학이 증명해내는 게 관념 그대로의 '기억'을 말하는 건 아니잖아. 민스키[50]의 불만이 연구의 정치적 문제를 떠나서 단순히 시커먼 반대는 아닌 것 같은데"

"나는 내가 실행하는 만큼 그 기억으로 조금 달라진 자신이 학습된다고 생각해." 마르셀의 말에는 염려가 가득했다. "그러나 변

---

50) 기호기반 AI 진영의 리더였던, 민스키와 패퍼트는 <퍼셉트론(1969)>이라는 제목의 저서를 출간하고 퍼셉트론 논쟁에 불을 붙였다.

화와 운명은 서로 별개야. 내가 하는 실행 위에 반드시 주체적인 운명을 더해야 비로소 나의 변화가 변화된 얼굴을 보여준다고. 그걸 기억으로 가지고 있어야 또 실증의 기회를 얻지."

"실증이라니, 학습의 결과와는 다른 걸 말하는 거야?" 그녀가 카드에서 눈을 떼지 않고 건성으로 물었다.

"베로니크, 나는 인공적으로는 결코 구축될 수 없을 '자아'의 변화를 말하는 거야." 마르셀이 말했다.

"어머, 나는 혼란스러운 애인 덕분에 나의 지능까지 '발전'하니 좋은걸?" 베로니크는 깔깔거렸다. "내 그런 변화는 별로야, 자기야?"

"변화는 나 스스로 만들어 나가야 해. 신에게 허락받은 운명이 있어야 변화를 진심으로 원할 수 있고. 그 결과 어떤 노력이든 그 끝을 볼 수 있지. 그 요령을 모르면 머잖아 인공지능과 인간은 구분하기 힘들어질 거야." 마르셀은 지친 얼굴로, 더없이 단순한 말을 위해, 조용히 말했다.

"세상에나, 무시무시한 억측이지만," 베로니크는 눈살을 찌푸렸다가 곧 미소 지으며 말했다. "그게 당신 귀여운 면이니까 봐줄게. 그런데 자기야, 인공지능이 세상에서 우리들하고 무슨 친구나 노예처럼 섞일 수나 있을까? 내 말은 논문에나 박혀 있는 증명이나 공론이 아니고 실물로서 말이야."

"뭐라고," 마르셀이 말했다. "노예라니."

"내 말 오해하지 말고," 베로니크가 말했다. "난 인공지능과 눈을 마주치는 걸 상상할 수 없다고."

"정신 속에도 눈은 있는걸." 마르셀이 말했다. "고통을 가하는 미래의 기술로 건드려질지 몰라."

"자기야," 이 순간 베로니크가 펼친 크리스마스카드 속 아기천사가 그녀의 정신 속으로 돌파해 냈기에 그녀는 어떠한 통제의 필요도 없이 놀람, 불쾌함, 웃음, 유쾌함을 겪어냈다. 그녀는 아기천사를 자기 얼굴 옆에 대었고, 인형극을 하듯 말했다. "재앙을 겪기 전에도 할 일은 있어, 우리가 하려는 일은 언제나 있어."

"그 후에는?" 마르셀은 어두운 기분이 되어 물었다.

"진지하게 간접 경험을 해 보라는 거야?" 베로니크는 일반적인 천사의 얼굴이 되어 있었다. 아기천사가 그녀의 무의식에 자신의 이미지를 옮겨 부었기에. "그렇다면, 음, 뭐랄까, 음, 우리에게 고용된 아름다운 보모 로봇은 벌써 우리의 첫째 아기를 훌륭히 길러내고, 둘째를 맡았는데, 뭐랄까, 인간적인 미덕이 있다고 말할 수는 없지만, 해롭지 않고, 물론 재앙인 것도 아니지. 보모의 현실성은 그 능력이 의미를 갖는 세계에서 선하지도 악하지도 않게, 말하자면 온전한 균형감을, 아기에게 쏟을 거야. 이거면 어때?"

"그 후에는?" 마르셀은 베로니크의 직관을 괴롭혔다. "수만 명의 아기를 길러내고, 그다음에는?"

"모르지, 다음 세대의 발전을 위해 자신을 헌정하겠지. 부품은 최대한 재활용되고." 베로니크는 아랫입술을 내밀어 삐죽거렸다. 그녀가 딱히 시니컬한 성품인 것은 아니었다. "아무튼 나한테 그런 세상은 확실히 없어. 내가 도움을 받을 수 있는 기술은 고작 디터람스의 뮤직센터면 감지덕지하는걸."

"아…… 변형, 그저 변형될 뿐……." 마르셀이 중얼거렸다. "자의적인 변화 없이 찾아오는 그다음이라니, 아무런 의지도 없이, 시간과 욕망으로부터 도망치지 못하는 개체가 이루는 변형이라니."

마르셀은 그가 가려던 어둠으로 온전히 도착하기까지 베로니크가 사라져야 할 판이라고 여길 지경이었다. 그녀는 필시 작년에 극장에서 함께 봤던, <2001 스페이스 오디세이>51)의 어쩌고 저쩌고를 떠올리면서 개념을 본뜨고 있는 거다. 그러나 실상 베로니크가 거의 옳았고, 음울한 상상으로 기우를 퍼뜨리는 쪽은 자신이었다.

"그럼, 나중에 다시 봐." 마르셀이 말했고, 베로니크는 그 안에서 뛰고 있는 다른 심장을 자신에게 들켜버렸다고 생각했다. 자신의 어리숙한 애인이야말로 서프라이즈 만남까지 계산된 인공지능이 아니었으니까.

"갈 길 가, 마르셀." 그녀가 말했다. "내가 같이 저녁 먹자고 조르기 전에."

마르셀은 외곽의 기차역으로 향했다. 형형으로 밝았던 공기의 빛깔이 창백해졌다. 낌새를 맡고 고독이 쏟아져 나왔으니, 그는 그저 말간 얼굴이 보고 싶었다. 문명의 얼룩덜룩한 불빛이 미어지도록 기운 도둑놈들의 얼굴 말고, 도래하는 70년대에 대해 코웃음 칠 얼굴을, 농부와 광인 사이 어디쯤에서 정착한 시인의 얼굴을 보고 싶었다. 요즘 같은 때에도 시인이 있을까? 마르셀은 차라리 우주비행사를 만나면 어떨까 싶었다. <고통스럽게 자기 자신을 찾으려

---

51) 스탠리 큐브릭의 영화 2001 스페이스 오디세이는 1968년에 개봉했다.

고 아무런 기약 없이 우주 항해를 떠나는 외로운 이>여. '디스커 버리호'52) 보다 더 거칠고 조악한 기술력일지언정 '할'53)보다 매력적인 컴퓨터를 태우고, 기왕 '여자일 거 여자인 안나 까리나'54) 같으면 더할 나위 없겠군. 깨끗한 밤이었고, 달은 없었다. 그리고 별빛이라기에 충분한 광도에서 광원이라기에 불충분한 존재까지 헤아려진 긴 긴 밤의 모여듦. 그 존재를 만나면 그것과 만나서 그것이 얼굴 같다 함을 보고 또 새로운 마지막을 기약하겠지, 적어도 햇빛이 시작될 때까지는, 그 '마지막 아님'을 만난다면.

그는 예감의 힘에 사로잡혀 별빛을 통해 그 얼굴을 보려고 안달했다. 더욱더 애처롭게 주위를 살펴보느라고 부끄러움을 잊고 고개를 휘저으면 휘청대거니와 멈출 수도 없었다. 그가 찾는 무엇도, 그를 보아주는 무엇도 발견되지 않아서 문득 완전히 지쳐버린다면 그는 도대체?

"나의 '마지막에서 마지막이 아니다가 마지막일 수도 있는' 겪음을 누구에게 어떻게 전하나!" 그가 혼자서 외쳤으니.

마르셀의 뻔뻔한 패기가 전염되듯 절망으로 변해갔다. 그나마 다행인 일이 있었으니, 그는 넘어지기 전에 스스로 제 몸의 움직임을 멈추게 했다. 그의 목이 고꾸라지듯 속도감 있게 수그러졌는데 안심해서인지 아쉬워서인지는 모르겠다.

---

52) 51)에서 지구에서 목성으로 향하는 우주선
53) 52)에는 인공지능 컴퓨터 '할'이 타고 있다. 평화롭던 우주선은 할이 스스로 생각하기 시작하면서부터 위기를 맞는다.
54) 장 뤽 고다르의 코미디 영화 '여자는 여자다'(1961)의 주연배우. 고다르의 많은 작품에 동반했다.

결백한 어둠이 비록 모든 궁금증과 수난을 만들었지만 행여나 어둡지 않다면, 아까 그가 광장에서 탈출하지 않았다면, 60년대 마지막 아수라장에서 베로니크와 저녁을 먹고, 유혹하고, 키스하고, 그런데 거기서도 목이 고꾸라져 있다면, 그의 인간성이 원했던 길을 잃어서 고개를 숙인 것이지 않을까? 다 똑같이 생긴 수만 가지의 네온 종류, 무슨 불빛인지 알고 또 모르면서 그는 그것을 분별할 품위도 없이 망부석처럼 서 있기 때문에, 무리하게 내려앉은 목에는 디스크가 오고, 다음 날 아침쯤 되어서야 발견되지 않을까?

그러나 지금 마르셀은 그 자신에게 발견되고 있었다. 가슴께부터 두 발까지가 고분고분하게 서 있는 것의 발견이며, 보기 좋게 별빛을 받고 있다는 것은 진작에 알았던 일이다. 기층으로 가슴 배 골반 무릎 발까지 별빛을 채우고 평범하게 동지로서 구애하기, 빛나는 얼굴은 따돌리고, 찾는 얼굴에서 비친 피로가 오히려 별빛의 환멸을 당하여 이제 꿈속에서나 볼 수 있으면 다행일지도 모르겠다. 뭐든 사소한 비출 거리라도 있으면 달려들어 소소하나 멋진, 그리고 때로는 지극히 우월하게 팽창하는 반짝임과 반사광을 만들어 내는 갖은 빛들이, *충분한 무슨 빛, 불충분한 무슨 빛들이*, 마침내 마지막의 낮이 소유한 두 눈을 경쟁적으로 완벽한 광채가 나도록 만들 것이기 때문에, 기실 가망 없는 일인 것이다.

마르셀은 소심하니까 별빛에 수긍했다.

"오 그래요, 그게 원하는 바라면 꿈에서도 보이지 않게 해요." 그가 읊조렸다. "참된 마지막, 노인이 되었을 때 그 얼굴도 노안이 되어버리도록, 영원한 생기를 박탈하고 내가 죽으면 소멸시켜 버리도록."

안녕, 어둠, 아무도 보이지 않는, 그러나 내가 보이는, 마르셀은 작별을 고했다.

거의 마지막이라고 판단한 별빛이 있었다. 햇빛이 등장하거든 미숙한 전설 속으로 숨어들 별빛이. 마르셀 같은 사람이 현혹되기 어려운, 어린애의 동화에나 붙박인 별빛이 있었다. 마르셀은 너무나도 화가 났고, 아니, 슬펐고, 혼자서 발길질할지도 모르겠지만, 그래도 별빛의 손실이란 빛나는 얼굴의 죽음만큼은 못 하리라.

안녕, 그러나 남은 밤은 끝나지 않은 *마지막*, 늦지 않았으니 다른 행인 누군가를 또 유혹하던지. 마르셀은 발길질 대신에 정중히 작별했고, 자신의 대안까지 제시했다.

마르셀은 걷고 있었기 때문에 다시 자택 현관으로 돌아와야 했을 것 같지만, 이곳은 기차역이었다. 걷고 있었기에 현관 앞에서 수첩 꺼내 들기를 망설여야 했을 것 같지만, 그는 그 대신 역사에서 봇짐장수를 발견했고, 상태가 좋지 않은 까눌레와 수제 양초를 자루 채로 사들였다. 이 모든 것을 본인의 최대 능력치로 가내 생산한 청년은 크리스마스 마켓에서 꺼내놓지도 못하고 집으로 돌아가는 참이었다.

"까눌레를 설탕에 절여 두시면 열흘은 갈 겁니다." 청년은 감사 인사랍시고 조언을 쥐어짜 냈으니, 그것은 송구함을 표현함에 있어서 청년의 최대 능력치였다.

"염려 마세요," 마르셀은 청년에게 은밀한 위로를 건넸다. 점잖지 못한 방식일지 모르나, 그의 생각에는 이런 게 이 시대에서 통했던 정신인바. "모레 정도면 죄다 사라져 있을 겁니다. 먼저 여섯 개가 사라지겠죠, 우선 기차 칸에서."

참고로 까뉠레는 이날 밤 절반이 사라질 예정이다. 오직 하나뿐인 만남에서 입이 터진 젊은이들 때문에, 그들이 처음에는 서로 꽤 어색하게 인사했다는 기억은 길고 긴 *기다림* 끝에서 훗날 어떤 예감이 되어 다시 그 모습을 나타내게 될까.

마르셀은 두 개의 자루를 들고 좁은 기차 통로로 들어가 좌석을 찾았다. 복도를 사이에 두고 양단에 놓인 좌석은 이인용 카우치 한 쌍이 서로 마주 본 형태의 사 인석이었다. 기차 안은 공석투성이었지만 마르셀에게는 지정된 자리가 있었으니, 한 명의 젊은 여성이 외롭고 권태롭게 비어있는 옆자리의 위험성을 가늠해 보고 있었다. 일행이 있는 양 손가방을 올려둘지 말지에 대한 도박을 감수하고도 남을 운명은 아주 희귀했으니까. 그녀는 무릎 위의 가방 손잡이를 힘차게 잡는 결의를 잠시 보였지만, 마르셀에게는 운 좋게도, 예상외로 슬쩍 단념되었다.

"안녕, 좋은 밤." 안경이 흘러내린 마르셀은 고꾸라질 듯 몸을 구부리며 인사를 건넸다. 그의 형편없는 시력을 용서하시길.

"안녕." 상대방은 무심한 표정으로 화답했다.

"미안하지만," 마르셀이 눈을 꿈뻑이며 말했다. "번거로운 짐들이 좀 있어서⋯⋯."

"그렇게 보이네요." 여자는 거침없이 대답했다. "여기 이쪽 내 발치에 둬도 괜찮아요."

"아무래도 큰 실례가 될 것 같은데." 마르셀은 웬만해서는 여성

의 눈이 지켜보는 앞에서 쩔쩔매고 싶지 않았지만, 생애 단 한 번
도 두 개 이상의 자루를 놓는 법에 대해 학습한 적이 없었다. 신
랑-신부처럼 다짜고짜 짝을 맞춰 놓자니 신랑 자루가 여자의 정강
이를 향해 기꺼이 신부를 밀어붙일 참이었고, 그렇다고 두 개를 노
부부의 단합처럼 쌓아놓자니 금방이라도 여자의 무릎 위로 엎어져
그 내용물이 뭐가 됐든, 아마 까눌레일 텐데, 그녀의 인내심으로
쳐들어 갈 게 뻔했다.

"그러니까 반갑다는 인사 대신에 주는 말이죠?" 이 급작토록 낯
선 물음은 낯선 것을 단박에 경계하는 것을 경계하는 자의 친절이
거나 아니면 농간이거나.

"물론," 그가 말했다. "그러나 정중한 감사를 그 뒤에 숨겼으니,
면목이 없네요."

마르셀은 비웃음에 대한 면역이 없어 가볍게라도 작당하는 수를
던지는 일은 좀처럼 하지 않는데, 그녀의 도발에 저도 모르게 과장
된 대사를 찾아 내뱉고 말았다. 그런 자신에게 흠칫 놀라는 동시에
재빨리 상대방을 살피는 부담을 이 첫 만남에 불가피하게 지워야
만 했다.

"그렇게 자책하시니." 그녀가 눈을 동그랗게 떴으니, 미소를 떠
올리며 반응하는 생동감에 작위적인 의도가 버무려진 그림 같은
처세였다. "제 말까지 실수처럼 느껴지네요."

그 재치 있는 화답 속에 어떤 감명이 발견되자 마르셀 역시 걸
러지지 않은 솔직한 웃음을 킬킬거렸다.

"진심으로, 만나서 반가워요. 나는 마르셀이고요."

"알베르틴이고, 나도 반가워요. 자루는 대충 두시고 편히 앉지 그래요?"

오 그녀가 그렇게 고지한다면야. 마르셀은 착석하는 동시에 발을 들어 신발 뒤축을 좌석 위에 걸쳐 놓았다. 좌석 아래는 미어터지지 않아도 되었고, 두 개의 자루는 이제 기쁜 신랑-신부였으니, 마르셀의 다리가 감수한 고귀한 희생이었다. 대신에 그는 인어처럼 앉고 싶었고, 그가 양 무릎을 붙여 내려놓을라 치면 그들은 자꾸 한 방향으로, 왼쪽으로만 향했다. 그가 일부러 오른쪽으로 놓으려고 할 때조차 그들은 왼쪽의 승인을 얻고 뿌듯해했다.

"있죠, 옆에서 예쁘게 앉아 있어도 괜찮죠?" 마르셀이 말했다. "혹시 수수께끼 좋아해요?"

"갑자기요?" 알베르틴이 말했다. "놀라게 하는 것이 취향인가 봐요, 싫어하지는 않죠."

"놀랐다면 미안하지만," 마르셀이 말했다. "제 온 열정이 그 쇼크 사이로 지금 들어갔는데, 맞춰 볼래요? 여기 시간은 많잖아요."

"물론이고 말고요," 그녀가 말했다. "환영하는 바예요."

"좋아요, 그렇다면 먼저 제 이야기 하나를 들어야 해요."

"얼마든지, 시작해 봐요."

마르셀은 이야기 하나를 했다. 아일랜드의 어느 해안 지방에서 탑과 담과 언덕임이 틀림없는 들판이 있고, 그는 그 조촐한 풍경을 모두 기억하고 있었다. 그의 기억 속이라면 A라는 장소와 동급일, 그런 엑스광선에 바짝 말려 놓아진 장소인 것이었다. 하지만 그는 A를 딱히 기억해 놓지 않았다. 왜냐하면 마르셀에게는 수첩과 만년필이 있었으니, 아, 딱 A 정도를 기록해야 하는 거구나, 하는 깨달음을 얻는 일로서만 주제화가 이루어진 탓이다. 그런 후, 기어이 그는 A가 어디였는지 잊어버렸다. 돌아다녔던 많은 장소를 환기하고 경로를 무작위로 복기하고 나서야 생각났다. 아, 어쩐지 그랬군, 이곳이었군. 과연 A는 조촐한 장소였어. 그런 후, 만 하루가 지나, 그는 A가 어디였는지 다시 까먹었다. 이번에도 기억해 내자. 기억해 내기 위해 머릿속에서 한 번씩 거쳐 갔던 대부분의 장소가 기억났지만 그중 어디도 A라고 할 수 없었다. A가 어딘지는 몰라도 그곳들은 반드시 아니었다. 그러나 중요한 것은 그에게는 앞으로 숱한 A들을 방문할 일이 있으리라는 것이다. 그러니 아일랜드의 어느 해안 지방을 본 사람처럼 수업과 만년필로 기록해 두기로 한다.

"끝인가요? 이야기는?" 알베르틴이 물었다.

"그래요," 마르셀이 말했다. "그렇게 끝입니다."

"도대체 쇼맨십인지, 경험담인지" 그녀가 말했다. "헷갈리네."

"당신 잘못은 아니에요." 마르셀이 어깨를 으쓱하며 말했다.

"그럼," 그녀가 다시 물었다. "내가 이 이야기에서 풀어야 하는 수수께끼는 뭐죠?"

"그건 말이죠, 이제부터 함께 만들어야 합니다. 말했듯, 여기 시간은 많으니까요."

이때 옆자리에 앉아 있던 두 사람 중 한 사람이 그들을 향해 몸을 기울이며 눈을 치켜뜨고 말을 던졌다.

"이봐요, 잠깐 미안해요. 잠시 끼어들어도 괜찮을는지? 당신들의 얘기가 흥미로워서 실례인 줄 알면서도 듣고 있었어요. 이쪽에서, 그러니까 우리들끼리 그 귀동냥의 이야기를 토대로 나름의 질문이 세워지고 의견이 수립되었지 뭡니까."

침입자의 조롱 같은 호기심이 배출된 그 자리에 잠시 침묵이 흘렀다. 말없이 시간을 붙들어 둔 쪽이 두 사람 중 어느 쪽인지는 알 수 없다. 그러나 그 정적을 깨고 먼저 입을 연 것은 마르셀 쪽이었다.

"사과는 무슨, 필요 없어요." 마르셀이 말했다. "원한다면 그쪽의 입장도 들려주시죠? 저는 마르셀이고요."

옆에서 새침하게 고개를 내민 알베르틴이 편안하게 늘어진 자세는 고정한 채 팔만 길게 뻗어 악수를 청했다. "반가워요, 알베르틴이에요."

두 사람은 마르셀과 알베르틴의 앞자리로 이동해 왔다.

"나는 루고, 옆의 이 친구는 조르쥬라고 해요." 루라고 하는 작자가 말했다. "우리도 지금 여기서 만나서 방금 친구가 되었답니다. 그나저나 우리는 마르셀, 당신의 이야기가 진짜인지 가공인지는 모르겠지만 어쨌든 흡, 빠져들었어요, 흡흐흐."

루와 조르쥬는 잠시 함께 마주 보고 눈짓을 교환하며 키득거리고 웃었다. 인어처럼 앉은 안경잡이란 추레한 존재일 수 있는데도, 마르셀의 눈에 이 웃음이 적대적으로 보인 것은 아니었다. 루는 모르는 사람들의 이야기를 옆에서 훔쳐 듣는 자신의 기량에 대해 발표했고, 이에 불가결한 무례함에 양해를 구했다. 조르쥬는 좋은 저녁에 어울리도록 사 온 샴페인처럼 시선을 독식했지만, 말수가 적고 얌전한 사내였다. 마르셀이 허리를 숙여 자루 입구의 끈을 끌렀으니, 까눌레들은 손에 손을 타고 크리스마스 마켓의 빗장이 막 풀린 것처럼 새어 나갔다. 그들은 오후에 모인 안주인들처럼 우물거리며 서로를 물색하는 데 필요한 화두를 찾았다.

"있잖아요, 어쨌든 우리들은 서로 완전히 모르는 사이죠. 그런 관계에서 서로의 경험이란 얼마나 공유될 수 있을까요?" 야심 찬 눈빛의 알베르틴이 모두에게 물었다.

"각자 생에서 가지고 있는 기억을 말씀하시는지?" 마르셀이 말했다.

"기억이라……." 루가 미간을 찌푸릴 정도로 생각에 골몰하더니 확신 없이 말했다. "그렇다면 우리는 어쩌면 기억에 대해서 일반적 개념보다 훨씬 더 넓은 범주에서 생각해야 해요. 마치 미래를 앞질러 내다보고 온 것마냥 선험적으로 가지는 예감과, 현재의 시간을 후험의 좌표인 듯 착각하는 일을 모두 포함하도록 합시다. 이미 경험한 과거인 듯싶지만 실제로는 전혀 그렇지 않을 수도 있고……"

"이른바 'Déjà vu(데자뷰—기시감)'처럼요?" 알베르틴은 대화를 풀어가는 데 필요한 원조의 의지가 강했다.

"비슷하거나, 조금 다르거나, 'Déjà vu'도 그중 일부 거나." 루가 말했다. "'jamais vu(자메뷰—미시감)'라는 반대의 의미도 있죠. 아직 경험하지 못한 미래임이 분명하지만, 선지적인 암시를 엄연한 기억으로 가질 때도 있으니까."

"틀려요." 알베르틴의 한시도 지탱할 수 없는 무관심은 독보적인 반응 속도를 토했다. "'jamais vu'는 그런 뜻이 아니에요. 그건 늘 겪어왔던 익숙한 것을 마치 한 번도 본 적 없는 것처럼 낯설게 느끼는 것을 말하는 거니까."

"아," 일동이 탄식했다.

"어쨌거나," 알베르틴은 말을 끊은 것에 대한 책임을 지고 대화를 복구시켰다. "지금 당신이 말하는 것은 전부 뜻 모를 '예감'이라고 말할 수 있는 그 모든 범주겠죠?"

"아, 그렇군요," 루가 솔직한 태도로 말했다. "그래요, 당신 말이 맞아."

"전 무슨 말인지 알겠네요." 내내 입을 다물고 있던 조르쥬가 익살스러운 어조에 손짓을 더해가며 처음으로 입을 열었다. "이를테면 흘러가는 때 속에서 도적들처럼 몰래 엄습해 오는 찰나의 감각들이 있잖아요. 그러니까 요놈의 전두엽을 기막히게 두드리는 어떤 음악을 듣거나 슬픈 건지 기쁜 건지 모르겠는 이상한 풍경을 목도했을 때 말입니다. 그 익숙하지만 익숙하지 않은 때를 맛보는 것에 대한 동경 때문에 나는 가슴이 막 죄어오기도 하고, 정말로."

조르쥬는 두 주먹을 질끈 쥐고 가슴을 한 번 두드렸다. 다음 손아귀의 힘은 스르르 빠져 추억을 인지한 자태로 가슴 위에 살포시 얹어졌다. 마르셀이 눈여겨보기를, 그는 하찮은 식료품점에서 이상한 우연으로 발견한 고귀한 샴페인임이 틀림없었다.

"정말로요?" 마르셀이 조르쥬를 달래듯 말했다. "정말로?"

"미안해요, 그게, 잠시 생각난 게 있어서요." 조르쥬가 말했다.

솔직히 조르쥬의 매력 때문에, 마르셀은 자신의 포개진 두 발이 기차 칸의 딱딱한 좌석이 아닌 부드러운 흙 위에서 모든 구속을 벗은 채 햇빛을 받아 하얗게 도드라진 모습을 떠올렸다, 아니, 기억했다. 머릿속에서 그가 손으로 살며시 발목을 잡았던 이유는, 순전히 손바닥이 홀렁 벗겨진 채 햇빛에 달구어지는 것에서 봉사 욕구에 대한 적절한 학습을 이루기 때문이다. 이 유능한 손이 천대받는 발목에 몸소 차양이 되어 드리우리라. 손가락은 손톱까지 동원해 과도한 열기를 방어한다. 발목은 기쁨의 담요를 덮고! 조르쥬, 나한테도 있어요. 익숙되기에는 몹시 소원한 추억이, 정말로, 정말로요. 마르셀이 번지르르하게 생각했으니, 그의 눈은 조르쥬를 향해 합당한 흥분을 휘둘렀다.

"지금 우리는 함께 경험한 것이 아닌 데도 공감할 수 있을지에 대해서 말하는 건가요?" 마르셀은 곧 모두를 둘러보며 말했다. "물론 상대방이 차려 제공해 준 것에 대해서 열의껏 감상평을 남길 수는 있죠. 나의 경우 '잘 감상하다, 그러나 공감은 아니다'라는 건 있을 수 없는데, 여러분은?"

"당신 말이야 잘 이해하지만," 알베르틴이 날카로운 의견을 선취했다. "그래도 꿈 얘기를 하듯이 무질서하게 전달하는 것이 아니라 언어로의 표현적 저력이 얼마나 강하고 신중했는가, 가령 구현의 밀도는 어떠했는가, 그런 부분이 관건이라고 생각하는데요? 전달자의 역량에 따라서 충분히 가능하다고 봐요."

"그건 전달자의 역량이 아니라 말이 가진 지위야." 마르셀이 모기처럼 중얼거렸다.

"그 지위를 유지시키는 게 바로 뜻하고자 했던 생각인 걸요. 독심술이 표상을 대체하지는 못하니까요." 알베르틴이 쏘아붙였다.

"하지만 그건 아무리 해도 공유는 아니지." 루가 자신 안의 어두운 경험을 헤아리며 말했다. "제삼자의 입장에서 받아들인 것뿐."

"그럼, 당신이 말하는 공유란 뭐죠?" 알베르틴이 물었다.

"사실 잘 모르겠어요." 루가 대답했다. "나는 지금도 혼자 있는 것은 아니지만 내게 생성된 모든 것이 고립무원에 갇힌 셈이라면 혼자서 아무도 모를 쇼를 하는 걸까요? 쇼라기보단 뭐랄까, 내 안에 있는 것들은 이미 벌어진 일이지만 그게 곧 내 활동일 수는 없어요. 뜻한다는 것은 의지보다 훨씬 빠르니. 아니 그보다는 필수적이니."

"결국 유일무이한 감각은 혼자를 위해서만 탁월하고," 마르셀이 한숨 쉬며 말했다. "각자의 몫으로 돌아올 고독과 그리움을 알잖습니까."

"마르셀, 고독이라는 당신 말이 맞아요." 루가 응수했다. "도달을 위해 지나는 곳인지, 아니면 그저 목적 없이 스치는 장소에 불과한지 알 수 없지만, 내가 어디에서 어디로, 누구를 위하여, 무엇을 하는 건지 자신도 관여하지 않은 채, 그저 그 순간의 그 장소에 어떤 식으로든 머무르고 있는 나에 대한 그리움입니다."

"흠, 왜 그리워해야만 하는 걸까요?" 알베르틴이 물었다.

"글쎄……," 루는 일부러 더 야멸차게 말하고 싶다는 듯이 미간을 찌푸렸다. "모를 일이지. 그냥 알음알음에 얻어걸린 나르시시즘일지도. 참나, 다들 그따위로 자신에게 도취해 살잖아요."

마르셀은 루의 두려움을 판단했고, 속 깊은 진지함과 뒤틀린 냉소를 끊임없이 오가는 녀석이라는 윤곽이 마르셀의 안에서 휘두르는 효과란 오묘했다. 이 효과는 마치 선술적인 에너지 리딩법과 같았으니, 마르셀은 그의 자조를 변호할 수 있는 말을 헌신적으로 궁리할 수밖에 없었다.

"아닙니다, 루, 비참한 곳에서 나뒹굴지 마세요." 마르셀이 말했다. "그 뒤에는 내가 모르는 어떤 이야깃거리가 분명히 있을 줄 아니까, 그러니까 모르긴 하지만 내가 모르는지 어떻게 아나 하는 의문과, 한때는 알았다 해도 이제는 모른다는 한탄이 섞여서 어떤 애틋한 심정이 되고, 어쨌든 내가 지금 지나는 때와 맞물려 갑자기 피어났다 결국 사그라들겠지만 말입니다, 언제 그랬냐는 듯 분명 잊어버릴 것임이 틀림없는, 마치 짧게 앓고 지나는 열병처럼……. 그 덕에 가능성은 남겨져 있죠. 되풀이되는 이야기에 관해서는 더 이상 할 말이 남아있지 않다는 뜻이거나, 아직 남아 있는 할 말을 쓰려고 모험을 떠났다는 뜻입니다. 완전히 새롭게 모른다면 할 일은 남아있겠죠."

마르셀의 말이 끝나자, 일동 사이에 잠시 의미심장한 정적의 브레이크 타임이, 마르셀 입장에서는 유독 온갖 것이 지나갔다.

"……마르셀. 제법인데요." 루가,

"마르셀, 이 제법인 친구야." 조르쥬가,

"오 마르셀. 당신 누구예요?" 깔깔거리며 알베르틴까지 차례로 브레이크를 깨트렸다. 진담이 오가는 중 서로서로 조금씩 더 흉내 낼 의향으로 닮아가고 있는 정황 사이에서 한 번씩 공평하게 돌출되었으니, 모두에게 족했다. 한편 모두에게 작당을 당한 마르셀은 머쓱해져서 자루로 쏙 들어가고 싶었지만, 머릿속에서만 그리한 후 그냥 보기 좋을 것 같은 미소를 짓기로 했다.

"말하자면 자기한테만 비범한 일기장처럼," 조르쥬가 저도 한 건 실적을 올리겠다는 듯 마르셀을 흉내 냈다. "한때는 열렬했지만 언젠가 식어버릴 마음이 유효했던 시절 정신없이 써 내려간 자기 고백을 읽을 때 비웃음을 참기 힘든, 그런 게 누구나 있잖아요. 한때 존재했던 감정이 지금은 영 생뚱맞은 것이 되었는데 그렇다고 내가 다른 사람이 된 것은 아니니까, 이것도 역시 있지만 없고, 없지만 있는 순환 구조 속에 놓인 셈이죠."

조르쥬는 의도적인 거드름을 피우기 위해서 눈썹을 치켜올리며 좌중을 훑어보았다. 다시 웃음소리가 끊겼다.

"그래, 다들 평생 각자 속에서만 살았는데도, 여기 다른 누구보다도 더 정확하게 본인을 관찰할 자신들 있나요?" 마르셀은 찬물이라기보다는 찬물에 흠뻑 젖은 자신의 유기성을 유쾌한 분위기에 끼얹었다. "그러고 보면 개인의 감수성에서 오는 상상력은 결국 철저하게 과거의 경험이 저장된 무의식의 색인이 나열된 창고에서 나와 애써 재구성된다는 걸 인정들 하나요?"

조르쥬의 머리가 옆으로 고꾸라지더니 그의 두툼하고 각진 어깨에 파묻혔다. 그는 별다른 인과 관계없이 나열된 마르셀의 두 질문 사이에서 첫 번째 답을 충족시키다 보면 얻어걸릴 두 번째 답을 바라고 있었다.

"상상력은 내재한 무의식의 힘이라는?" 알베르틴이 물었다.

"그래요, 잘 생각해 봐요." 마르셀의 몸은 등받이를 향해 푹 꺼졌고, 사교에 있어 치명적일 뼈저린 유기성에 의해 지치기 시작했고, 하지만 그는 원체 능란한 사람이었고, 그러니 조리 있게 말했다. "만약 당신이 어떤 영상을 보면서 그것이 내보내는 영상신호와 언어기호에 의해서 내면으로부터 하나의 상상을 만들어 냈다면 그건 뭐 사실상 거의 강제적으로 이루어진 셈이잖아요. 왜냐하면 무차별적일 만큼 너무나 구체적인 대량의 신호들이 일제히 당신의 의식을 향했기 때문이오. 당신이 독창적인 주체성으로 선별된 작용을 하기에는 말입니다. 그런데 그런 직접적인 계기가 없는 상황이라도, 그러니까 어쩌면 다른 것을 떠올릴 수도 있었고, 아무것도 생각나지 않았을지도 모르는 그런 열린 때에, 불현듯 찾아오는 경험 아닌 경험의 상상은 역시나 예감이라고 말하는 편이 더 낫겠죠."

"겸손하게 말하고 계신 거죠?" 알베르틴이 지적했다. 자기 말을 지나치게 음미하는 사람은 청중을 잃는 법이기에.

"아, 이런," 마르셀이 말했다. "깜빡 잊을 뻔했는데."

"그의 말이 안 끝난 것 같은데요." 루가 지적했다.

"고맙습니다, 루." 마르셀이 루에게 눈짓을 보내며 말했다. "무의식의 소망이 수신한 기억 아닌 기억은 우연처럼 보이지만 필연적일밖에요. 꿈은 자의적이지 않은 현상이지만 자신을 대변하는 재료가 되듯이, 내 의지와 상관없는 것조차 나를 구성하는 요소가 된다면 예감이란 가치의 행방을 운운하기 이전에 내게 없어서는 안 되는 공기와도 같은 거죠. 알베르틴, 아시겠죠, 당신이 한평생을 자신 안에서 살았다면 제 말에 심각한 점일랑 없음을."

"알아요," 알베르틴이 말했다. "다행히도."

"옳소!"

알베르틴이 대꾸하자마자 검지 손가락으로 하늘을 찌르듯이 팔을 번쩍 들어 올리며 외치는 조르쥬의 모습에 어쩔 수 없이 희망이 생겨났고, 특히 마르셀의 희망이 날뛰자 모두의 박장대소를 추진시켰다. 마르셀은 흘러내리는 안경 코에 양눈의 초점을 모아 사팔뜨기를 선보였으니, 그 자신조차 말의 갈증을 망각하기에 이르렀다.

"태초에 하나의 예감이 존재하기까지 수많은 기적을 해석했노라." 조르쥬는 엉덩이를 들썩이며 몸을 반쯤 일으켜 전도사처럼 말을 이었다. "우리는 그것을 운명이라 부르노라."

웃음소리는 사그라들 줄 몰랐다. 그러나 처음보다 한층 진지해진 루는 가장 먼저 웃음을 멈추고 좌중을 진정시키고자 손등이 위로 가도록 양손을 쫙 펴고 시끌벅적한 공기를 지그시 누른 후 말문을 열었다.

"마르셀, 결국 이 모든 것은 나를 구성하는 것이라면 뭐든지 사랑할 수 있는가 하는 질문과 맞물린다는 말이죠?" 그는 기쁨이 담긴 눈빛을 반짝이며 나지막하게 외쳤다. "우리는 물리적 세포뿐만 아니라 정신적 세포까지도 그 하나하나를 귀중하게 여겨야 하는 겁니다. 당연히 알았던 것, 미처 몰랐던 것, 알지만 모르는 것, 모르지만 아는 것, 내게 찾아온 것이라면 뭐든지 좌시할 건 없지!"

"이봐요들," 마르셀은 하여간 협조적인 태도를 싹 거두고, 특별히 루에게 심술궂은 태세로 맞불을 놓았는데, 이것은 관성 작용에 불과했으니, 숨길 수 없는 짜증이면 순리를 따른 것이요, 인위적인 장치면 그 또한 광대의 관성일 터. "하지만 개인의 예감에 도대체 어떤 진실이 담겨 있다고 말할 수 있는 겁니까? 세상이라면 어느 한 놈이 또 저만의 동굴 구석에 들어가서 노래를 부르는 건지 혼잣말하는 건지, 아무튼 제멋대로 굴고 있네라고 말할 것 같은데, 그따위 평가를 듣기보다 뭐 더 나은 지각은 없고요?"

"잠깐, 잠깐만, 어휴, 그런데 우리는 기억에 대한 '공유'의 건에 대해서도 아직 이렇다 할 결론을 가지지 못했다는 걸 모두 잊지는 않았지요? 그러니까 우리가 말이야, 앞으로⋯⋯!"

여전히 열광적 분위기에 사로잡힌 조르쥬가 다시 반쯤 일어나서 외치는 것을 보고 알베르틴이 팔을 뻗어 옷자락을 잡아 아래로 잡아당겼다.

"여봐요, 조르쥬, 좀 기다려요." 그녀는 구르듯이 웃으면서 쌀쌀맞게 속삭였다. "어쩜 이렇게 금방 열을 내고!"

이것은 조르쥬를 얌전히 자리에 되돌려놓을 만한 힘이었고, 마르셀로서는 그녀의 은근한 저력을 발견하자 곧 심술이 완화되었다.

"중재 고마워요, 알베르틴." 루가 말했다. "어쨌든 마르셀, 조르쥬, 너희 둘 모두의 질문에 대한 답이 될 수 있을지 모르겠어. 하지만 나는 이렇게 생각해. 좋은 예시가 하나 생각났는데, 가령 우리가 드라이브할 때, 전면과 측면에서 필요한 주행 시야만큼 데이터가 가시적으로 활성화되고, 후방에 보이지 않는 부분은 단지 데이터값에 머무른다는 것이라는 발상도 영 엉망이지는 않잖아요? 모든 것은 밝혀지기 전까지는 어둠 속에 잠겨 항상 본태적으로 존재했을 뿐인데, 내 의식의 주목을 받고 감광된 순간부터 나와 관련된 그 무엇이 된 거잖아, 안 그래요?"

"브라보! 백 퍼센트 지당한 물리적 사실이군." 조르쥬가 가볍게 박수를 치며 정직하게 호응했고, 이제 루에게 굴복이란 있을 수 없었다.

"그러니까," 루가 말했다. "애당초 평소 보이지 않던 '내면의 색인'이라는 거대한 창고에서 쓰레기 같은 직관이든, 빛이 스며든 예감이든, 의식을 주목하게끔 하는 모든 촉이 발동해서 내가 보는 세계가 탄생한다면, 적어도 그중에서 내 의지로 쥘 수 있는 선택의 거점이 있는 것이지 않겠느냐, 이 말입니다."

이들은 이제 슬슬 이들만의 타이밍을 잴 줄 알게 되었기 때문에 루의 말이 끝나기를 숨죽여 기다렸다가, 훨씬 적은 저항값만을 치르고, 지체 없이 승자의 이름을 연호했다.

"루, 이 제법인 친구여." 마르셀이,

"루, 자랑스러운 내 친구!" 조르쥬가,

"오, 루, 루!" 알베르틴이 미리 짜인 듯 대응했으니.

"그만, 그만! 우리는 지금 여기서 도대체 뭘 배우고 뭘 연습하는 거야!" 좌중의 환호 속에 루의 순진한 너털웃음이 섞여 들어갔다.

"어쨌든 나는 선택할 수 있다는 당신 말이 마음에 들어요, 루." 알베르틴은 잠시 꿈결에 잠긴 사람으로서 말했다. "지금 내가 여러분과 이렇게 말할 수 있다는 것도 내가 그러기로 마음먹었기 때문이고……, 기억의 교류는 아무튼 멋진 일이고, 나한테는 거의 천재적인 일이고, 아마 누군가에게는 더 심하게 천재적일, 아무튼 결코 지루할 수는 없어요."

"루, 우리에게 익숙한 인지 방식의 서열을 뒤집어 버리자는 것처럼 들리는데……." 마르셀이 조용히 말했다. "그러니까 의식하기 전에는 있는 줄 몰랐지만 없던 것도 아니고, 몰랐지만 알았던 것일 수도 있다면, 또 잊히기 위해 기억되었고, 기억되기 위해 잊힌 셈이라면, 그것이 곧 기억이란 놈이 우리에게 말하고자 하는 방식인 걸까……."

"마르셀, 나는 당신이 원하는 대로 말하고 싶어요." 루가 말했다.

마이크를 쥘 때는 검지부터 네 손가락에 힘을 줘 지지하지 말고 엄지의 힘만으로 지지할 것. 그러면 팔뚝의 체선이 한결 누그러지리라. 이 순간 마르셀이 생각했으니, 정답을 맡은 연설자로부터 진정 허세가 누그러졌음을 느꼈다.

"무슨 말이든," 마르셀이 말했다. "해 줘요."

"나만을 위하지 않는 말을 하려고요." 루가 말했다. "물론 비의지적인 주목을 모으는 색인 배열 방식의 궁극적인 구성 원칙이야 스스로 알 도리가 없죠. 하지만 어쨌든 나의 경험과 흘러간 시간이 서로 작당해서 지금의 내게 필요하다고 판단되는 것을 먼저 송출시킬 뿐만 아니라, 내가 변화해 감에 따라 끊임없이 조정된다는 원칙만큼은 분명하지 않겠어요?"

"모두를 위한 말, 고맙게 생각해요." 알베르틴이 말했다. "그리고 기억하고 있기 때문에 느끼는 아픔이든지, 잊었기 때문에 느끼는 아픔이든지, 예감에 관한 모든 통증의 답은 우리 안에 열려 있는 어떤 통로 속에 있다는 생각이 들어요. 말하자면 이 세상의 걸출함 속에서는 찾을 수 없을 것만 같다는 거예요."

알베르틴의 생각이 이끄는 대로 머리를 가눈 곳은 차창이었다.

"그래서 둘 이상의 사이에서 기억을 공유한다는 것은?" 조르쥬가 이 말도 잊지 말라는 듯 애타는 얼굴로 다시 물었다.

"나는 그 답이 당장에는 필요치 않아요." 루가 말했다. "내게 답이 찾아오기를 더 기다리렵니다."

"뭐요? 기다리겠다고?" 조르쥬가 황당하다는 표정으로 되물었다. "그건 매우 게으르고 무기력한 처사 같은데."

"천만에요, 조르쥬. 모르겠나요? 이건 어떻게 보면 세상에서 가장 정중하고 열광적인 기다림이죠. 당장에는 그 속에 뭐가 들어 있는지, 도대체 진실이 뭔지 알 게 뭐야. 알다가도 모르도록 뒤죽박죽 공개된 것뿐인걸." 루가 흥분해서 내뱉었다. 그런 그를 주목하는 모두의 시선 속에서 팽팽하게 당겨진 분위기가 감돌았다.

"당연하겠지만," 마르셀이 말했다. "기다리는 것도 방법이죠. 저의 업적이란 늘 그래왔는걸요. 그렇지 않으면, 승리를 기도하자마자 길에서 줍는 사람도 있나요?"

"그냥 거기 앉아서, 그렇게 예의 없는 꼴로, 남부끄럽지 않아요?" 조르쥬가 마르셀을 후려쳤다.

오, 조르쥬는 샴페인이 아니라 예거마이스트였으니, 오, 마르셀이 천식 환자가 될 수는 없었다.

"어쨌든," 마르셀이 말했다. "우리는 모두 인간인지라, 가장 인간적인 방식으로 변죽을 울릴밖에요. 무의식을 통달할 지력이 부족한 대신 상상력이란 무기를 간청드리지요."

"아니, 제게 간청을 주시다니요?" 예거마이스트는 몹시 부끄러워했다.

"당신 말고," 마르셀이 말했다. "신께, 시간에, 운명에, 개인적으로는 어느 우주 비행사에게."

"내적으로 품어진 모든 순간의 비밀스러운 환호와 아우성은 물리적 시간과 만나서 무르익고, 어떤 식으로든 변화해야 할 운명이다, 그 말이로군……!" 창문에 기대어 있던 알베르틴이 벌떡 일어나 양 손바닥을 마주치며 명쾌한 소리를 내는 동시에 나지막하게 외쳤다.

"기다림의 초가 이제 막 움직이기 시작했으니 아직 출발조차 하지 않은 우리들이네."

루의 목소리가 밤의 중력을 타고 홀린 듯이 네 개의 운명을 향해 퍼져나갔고, 내내 아래쪽에 깔려 눌려 있던 마르셀의 왼쪽 다리에 기어코 쥐가 나버렸다.

이제 1969년 12월 10일이 전부 소진되기 전에, 알베르틴, 루, 조르쥬가 약속된 순서대로 신속히 이탈해 나갔다. 그들은 무려 일정이라는 것이 있는 사람들이었다. 마지막으로 조르쥬가 떠났을 때 겨우 밤 10시였으니, 마르셀이 혼자서 버텨내야 할 12월 10일은 아직도 그득했다.

마르셀은 수첩과 만년필을 꺼냈다. 피스톤 필러는 금속이 아닌 플라스틱, 이 시대 가장 가벼운 몽블랑사의 총아에는, 에보나이트 피드의 두 줄 고랑이 길게 뻗어 절단면 끝지점까지 잉크를 빨아들였다.

"거의 마지막이네."

마르셀은 이제 마지막이라는 판단으로 기록을 시작했다. 그러나 무엇이 마지막이라는 것인가? 무엇의 마지막이라는 것인가? 새로운 친구들과의? 하루의? 60년대의? 시대정신의? 진실한 우주비행사의 얼굴을 보여줄 별빛의? 인공적인 지능의 필요성을 이해하지 못하는 백치들의? 마르셀은 자신에게 와닿는 온갖 것의 마지막을 위해 <마지막>이라고 하염없이 적어 내려갔다. 마르셀의 눈을 마비시키는 형편없는 시력과 건조주의보에 활자들은 수첩 위를 어릿하게 기어다녔고, 그는 눈을 감았을 때 '마지막'이란 글자가 잔상으로 떠오를까 봐 두려워했다.

눈을 감으면 활자가 진정 눈물겹게 떠오르거나, 떠올랐다는 의심에 결박된, 떠올라 있는 상상을 하거나. 눈을 감고도 글자가 눈 속에 존재한다는 것은, 아직은 겨우 존재하지는 않았다는 확인보다 환상적이다는 이유만으로 절망을 넘어설 만큼 특수하며 독특한 기쁨이 될까?

기다린다. 아직 안 떠오른다. 참지 못하고 또 눈을 감는다. 떠올랐나? 모르겠다. 기다린다. 눈을 뜬 채로, 활자를 박은 덜 기름진, 젖은 땅이 신음하도록, 확실하게 새겨지도록, 기어코 확인할 마지막 시도라는 듯, 눈을 끝까지 뜨고, 이제 감는다. 기다리기보다는 파헤친다. 아니, 그냥 기다린다고 하자. 거저 가져가는 기다림으로써 충분한 전략의 일은 그런 수준으로 애가 타야 하는 법. 성취일지 저주일지 모르는 것에서 대단한 과업으로 성패를 논하는 것이

가당키나 한가? 아직 안 떠오른다. 글자들을 봤던 것도 같은데. 눈을 떠 대조해 보면 눈 밖의 글자와 눈 속의 글자는 시무룩하게 일치되겠지. 아닐 수도 있고. 아직 안 떠오른다면 기다려봤자 헛것일 테니 그만 눈을 떠야 한다. 척박한 땅에 그만 박으려면 그래도 눈은 떠야 한다. 실망도 기쁨도 아니다. 눈 속에서 글자가 떠올랐대도 심지어는 성공적으로 정교한 상상이 떠 있더라도 기다림만으로 성립된 미결의 관점에서 특수하다고 말하기는 역시 힘들기 때문이다.

기다린다. 실망이 아닌 것만큼은 확실하다. 기쁨도 마찬가지로? 감사하리만치 당연한 기쁨은 결코 본능적으로 만들어지지 않았다. 마르셀에게 그것은 자기 내면이 의지와 상관없이 조건반사적으로 만들어 내는 기분 반응이 아니었다. 그는 '마지막이 명령하는 바'를 감지하고 싶었다. 그것은 의식, 즉 의지가 그대로 작용하여 만들어 내고 강화해 나갈 수 있는 거의 유일에 가까운 결정적 기분이자 정서의 한 유형이었으니, 도대체 무엇이 그를 이토록 헷갈리게 할까.

장거리 육상 선수들의 헐렁한 피니쉬처럼, 아이고 여기까지. 60년대의 기다림은 필요했으나 그 정당성을 되풀이하진 않았다. 숱한 현재가 슬쩍 퇴장했다.

여러분은 아직도 여기 있는가? 여러분은 현재라고 말할 수 있는가? 여러분은 지금까지의 '마지막'을 조금씩은 책임지고 있었는가? 우리가 함께 있다면, 여러분은 어디인가? 여기는 누구인가? 아니면 저쪽이 다른 누구인가? 도처에서 혼합의 냄새가 여러분의 냄새도 누구의 냄새도 알게 하지 못한다면, 우리라고 입에 올리지 않는 편이 더 나을 상태에 있다면, 차라리 저 멀리 바라보게 되는 저쪽에 다른 우리가 있는가?

마르셀, 그의 여자친구, 그의 까눌레 동료들, 우주비행사, 두 얼굴의 아가씨, 발작하는 미니 탱크, 설사하는 척하는 강아지, 혈육인 척하는 기계, 인간의 *나머지* 기계들, 여러 단계의 장님들, 첫사랑, INFJ, 통통 튀는 눌변가였다가 영영 앉아버린 눌변가, 신의 *나머지* 자아들, 기타 등등은 그들끼리 뒤섞일 수 없고, 여러분도 그들과 뒤섞일 수 없다. 그토록 사소하게, 그토록 광범위하게 실패한 뒤섞임을 말하는 겁니다. 인정한다. 자 약속합시다. 각자의 행성에서, 각자의 문을 열고, 각자의 의자가 어느 방향으로 놓여 있을지, 각자가 추리하기로.

여러분은 아직도 여기 있는가? 글쎄올시다. 잘 보이진 않아. 그래도 당신이라면 여기 있는가? 여기저기 이런저런 방향에서 당신을 발견한다면 그 방향 어딘가에서 우리를 찾을 수 있지 않을까? '우리'라는 표현을 오직 사랑에서만 부를 수 있다면 말이다.

당신은 혼합 속에서 사랑을 본 적이 있는가?

피아간의 부자연스러운 혼합은 *마르셀부터 기타 등등까지*, 그런 누군가와 당신이 고립이라는 개성의 저주에 걸리지 않는 일에만 열중하느라 각자가 물려받은 대립을 배반했다는 점에서 촉발된다.

대상이 다른 대상에게 바라는 개성은 주체가 만족시킬 수 없는 어떤 까다로움에서 선취점을 찾는다.

결국 이 득점은 '지금 고백하는 자'가 명령한 것이다.

아니다, 이 자는 그의 득점을 원할 수 없었고, 만사가 가까이 있을수록 그의 존재는 그런 것들에서 더 멀어져 왔다. 그는 개성의 저주에 뛰어들었으니, 그것은 무릇 그 자신이 내리는 자유의 선고이다. 그러나 자유이기 이전에 사회를 의식한 자는 그것을 자발적으로 내리는 유죄 선고와 같이 느낀다. 무슨 까닭으로 그는 자신을 그 정도로 고립시키는가? 그것은 외부로부터 온 거짓 약속을 믿지 않았기 때문이다.

너의 성의가 나의 친절에 값하는 것이다. 너의 공감이 나의 동기에 값하는 것이다. 너의 인정이 나의 노력에 값하는 것이다. 뭐 이러쿵저러쿵.

거짓 약속들은 설득력에서 나무랄 데가 없었으니, 까다로운 구조를 견뎌내기 힘든 누군가의 그림자는 타인의 그림자를 부른다. 당신은 살면서 간혹 사랑을 시도했을 테니, 이 말을 이해할 것이다. 한 우주비행사는 교차로에서 사랑 같은 실수를 범하고, 실수 같은 사랑을 선택한 바 있었다. 그림자를 특정 짓는 관계들 가운데 그 어떤 것을 통해서도, 당신에 대한 앎을 부수어 버리는 타인의 본질을 파악할 수는 없었을 테다. 무언가를 상대에게 원하면 상대는 당신에 대한 순수한 호기심을 망각하고 그저 당신의 욕망에 상응하는 자신의 욕망만을 발상했을 테다. 그것이 서로의 수지에 맞으면 일종의 거래가 성립되고, 맞지 않으면 영원히 이루어질 수 없는 조율에 대한 환상에 빠져 스스로 거짓 약속의 일부가 되었을 테다.

그림자는 빛이 무엇인지 알기 위해서만 존재한다. 우리가 눈이 부셔서 정신이 없을 때, 그림자는 자각으로 소진된다. 눈이 웅장한 밝음을 알아보면, 정신은 한층 더 어두운 곳을 느끼기 때문이다.

그렇다면 무엇을 깨달으려고, 어떤 경종의 울림에 값하기 위해, 그는 당신에게, 그리고 당신은 그에게 원하는가? 오래된 습관 중 하나로, 밤낮으로 자신을 위하고자 하는 원형적 이기심은 이미 제 역할을 다한 지 한참 아닌가? 거래의 가능성은 언제까지 트여 있을 셈인가? 다들 세상에 거저는 없는 법이라고 말하는데, 상대가 가장 원하는 것과 자신이 가장 주기 쉬운 것이 일치될 수 있는 경우조차 쉽지 않은데, 하물며 가장 완벽한 거래조차 이다지도 비인격적이고 소모적이라면.

어떻게 그 일이 벌어졌는지는 몰라도, 그 일이라, 하지만 그는 당신과의 사이에서 거래에 관해 한 일은 있었지만, 실상 아무 일도 하지 않았다.

그 일이라, 이를테면 A가 오류를 저질렀다는, B가 기분으로 알아차린 그 일, 그런 후에 기어코 A가 부끄러워지도록 그를 체포한 일, 만일 B가 좋아하는 A의 개성을 결국 그 스스로 혹평하지 않을 수가 없게 되면, 자유를 잃은 A의 본질을 B가 찰나 봤는지는 일일이 기억할 수 없지만, 무서움과 슬픔 속에서 그것을 다시 삼킨 일. 불행히도 우리가 숭배하는 각자의 논리는 터무니없지 않은 데다 영양가마저 있어서, 샐쭉하게 공명정대한 표정을 지으면 빈손, 빈 눈, 빈 가슴조차 권위를 가지는 법이다.

악습을 보라. 우주비행사처럼. 지금까지 살아오면서 우리 안에 온갖 이기, 일방, 공격, 억압을 쌓으며 그것을 타인과 자신에게 표출하는 것과 관련된 모든 통증을 잘 보라.

'마르셀부터 기타 등등까지' 중에, 아니면 '마르셀부터 기타 등등까지' 외에, 당신이 만난 그 사람 말이다, 그는 당신을 바라보려고, 들끓는 기분 옆자리에 난 작은 입구를 찾는다. 이렇게 비대해져 있는 기분을 달고 그곳으로 어떻게 들어갈 수 있지? 하지만 그가 당신과의 사이에서 평생 정말 아무 일도 안 하고 버틸 수 있을까. 시궁창을 약간 비낀 공터에서 땀이든 울분이든, 축축하고 곤혹스러운 것들을 말려내라. 도취적인 빈손, 빈 눈, 빈 가슴을 바라보라. 이것이 그의 모습이오. 바라보고 싶은 당신이 그에게 다가왔으니, 당신은 부디 당신의 자유 속에 있으라고 말할 것도 없지. 지금은 그가 자신을 먼저 바라보게 해 주시오. 비록 그는 끊임없이 낙심했지만, 당신의 도래하지 않은 시간을 망각시키는 저주를 풀 시간을, 당신의 미숙함에 매료될 기회를 주오.

당신은 이제 *더할 나위 없이 당신인데*, 그는 그의 부끄러움이 지금의 얼굴이구려.

그는, 모두는 부끄러웠다. 부끄러우면서도, 그러나 모두에게 꼭 필요한 부끄러움이었다. 모두는 어쩌면 죄가 가벼워지기라도 했을지 궁금할 것이다. 얼굴을 붉히며, 거짓 약속을 받아내려는 조건반사로부터 등을 돌리고, 바로 거기서 마침내 빛을 가리키는 그림자의 소진을 꿈꾼다.

뭐하러? 질문에 모두가 대답한다.

"그저 나이기를 더할 나위 없는 나임을, 당신이기를 더할 나위 없는 당신 옆에, 괜찮다면 아주 가까이에 놓으려고요."

탈고를 마치며

이 작품은 오직 하나님의 영광을 위해 쓰였다.

다문다문, 나도 모르게 진실이라고 부르도록 허락된 유일한 무언가가 사람들을 위해, 나를 위해 끊임없이 싸우고 있다.

심장을 이식하려면 받아들일 수 있는 온전한 기관이 준비되어야 한다. 본질이 물리적으로 놓일 곳이라 하여 하나님의 명으로 설계된 전체를 우주라 부른다면, 온 우주가 나를 향해 외친다. 네 심장을 내게 다오. 비록 부족한 사람이지만 사람의 고통이, 사람의 선의가, 사람의 온갖 몸짓들이 나의 이해와 투신을 요구한다. 네 심장을 다오, 나도 그분께 영광된 소진을 부탁드릴 수 있을까? 내 심장을 드린다면 나와 사람들을 위해 내 심장 박동과 나와 다른 이들의 심장 박동이 공명하도록 도와주실까?

2023. 9. 28

레시퍼 RECETTES par un astronaute

이효민 이효진

초고. 2023. 2. 28
탈고. 2023. 7. 30
편집. 2023. 11. 30

책 표지/책 날개 일러스트. 이효민